辉煌中国

本书编写组

人民出版社
学习出版社

责任编辑：吴炤东　张　燕　孟　雪　李甜甜　高晓璐
封面设计：周方亚
版式设计：王欢欢
责任校对：胡　佳

图书在版编目（CIP）数据

辉煌中国／本书编写组 编 . —北京：人民出版社，学习出版社，2017.10
ISBN 978－7－01－018498－2

I.①辉… II.①辉… III.①社会主义建设成就－中国 IV.① D619

中国版本图书馆 CIP 数据核字（2017）第 263267 号

辉煌中国

HUIHUANG ZHONGGUO

本书编写组　编

人民出版社
学习出版社　出版发行

（100706　北京市东城区隆福寺街 99 号）

北京中科印刷有限公司　　新华书店经销

2017 年 10 月第 1 版　2017 年 10 月北京第 1 次印刷
开本：710 毫米 × 1000 毫米 1/16　印张：9.75
字数：93 千字

ISBN 978－7－01－018498－2　　定价：25.00 元

邮购地址 100706　北京市东城区隆福寺街 99 号
人民东方图书销售中心　　电话（010）65250042　65289539

版权所有·侵权必究
凡购买本社图书，如有印制质量问题，我社负责调换。
服务电话：（010）65250042

目 录

第一集　圆梦工程……………001

第二集　创新活力……………025

第三集　协调发展……………049

第四集　绿色家园……………075

第五集　共享小康……………101

第六集　开放中国……………127

本书视频索引……………153

第一集 圆梦工程

第一集《圆梦工程》完整视频

时光如水，日月如梭。

时间总是按它的规律悄然运转，但它也总能够定格下那些重要的历史瞬间。

习近平总书记：

在这里，我代表新一届中央领导机构成员，衷心感谢全党同志对我们的信任。我们一定不负重托，不辱使命！努力向历史、向人民交一份合格的答卷。

五年过去，13多亿中国人民收到了这样一份答卷。

新闻播报：

省部级主要领导干部"学习习近平总书记重要讲话精神，迎接党的十九大"专题研讨班26日至27日在京举行。

习近平总书记强调，党的十八大以来的五年，是党和国家发展进程中很不平凡的五年。五年来，党中央科学把握当今世界和当代中国的发展大势，顺应实践要求和人民愿望，推出一系列重大战略举措，出台一系列重大方针政策，推进一系列重大工作,解决了许多长期想解决而没有解决的难题,办成了许多过去想办而没有办成的大事。

这是砥砺奋进的五年,这是真抓实干的五年,这也是取得历史性巨大成就的五年。2013年到2016年,中国国内生产总值平均增长达到7.2%,这是环顾全球无可企及的成绩单。中国人民有了更多的获得感、安全感、幸福感、自豪感,中华民族实现了从站起来、富起来到强起来的历史性飞跃。

同心同德、同向同行,这是你我共筑的辉煌中国。

百年前的《建国方略》,孙中山先生构想了这样的宏伟蓝图,要修建约16万公里的铁路、160万公里的公路,开凿并整修全国水道和运河,建设3个世界级大港,发展内河交通和水利、发展电力事业……在他看来,只有这样才能"振兴中华"。

百年之后,孙中山先生描绘的这个蓝图早已实现,中国人民创造的许多成就远远超出了孙中山先生的设想。

习近平总书记:

孙中山先生毕生奋斗,就是期盼中国成为"世界上顶富强的国家""世界上顶安乐的国家",中国人民成为"世界上顶幸福的人民"。今天,我们可以告慰孙中山先生的是,我们比历史上任何时期都更接近中华民族伟大复兴的目标,比历史上任何时期都更有信心、有能力实现这个目标。

这五年,中国桥、中国路、中国车、中国港、中国网,一个个奇迹般的工程,正在托举起中华民族伟大复兴的中国梦。

振华30，世界上最大的起重船，中国自主建造。

这个长度超过297米，宽度58米，排水量接近25万吨的庞然大物，体量超过了全世界所有现役航空母舰。

它正前往伶仃洋海域，完成一项世界瞩目的工程——港珠澳大桥最终接头安装。

港珠澳大桥　总工程师　林鸣：

敲这个也行。

林鸣，港珠澳大桥总工程师，正在对最终接头进行最后的检查。

这是一个巨大的钢筋混凝土结构，重6000吨。林鸣要将它准确地插入30米深的海底，完成港珠澳大桥海底隧道的贯通。

6000吨的最终接头，重量相当于22架空客A380，整个吊装过程要确保绝对平衡，任何倾斜都将是灾难性的。

为了这次安装，林鸣准备了三年，做过上百次方案推演。

港珠澳大桥，全长55公里，由跨海桥梁和海底隧道组成，是目前世界上最长的跨海大桥。

对于这个东方大国来说，这55公里连接的不仅仅是粤港澳三地，未来因它而形成的5.6万平方公里的区域，将是继东京湾区、纽约湾区、旧金山湾区之后，世界经济版图上又一个闪耀的经济增长极。

这个超级工程，堪称世界桥梁建设史上的巅峰之作。

在它身上，凝结着过去数十年中国桥梁设计、施工、材料研发、工程装备等各项成果。

这是一次中国实力的集中展示。

最终接头安装，开始了。成功与否，在此一举。

起重船振华30吊臂向驳船方向移动。

工人们把4吨重的吊带挂在最终接头上。

每根吊带长120米，直径40厘米，由14万根高强度纤维丝组成。

这是振华30大展身手的时刻。

它的臂力最多能吊起1.2万吨重物，并做360度回旋。

港珠澳大桥　总工程师　林鸣：

全世界没有人把一个6000多吨的东西去这么转一下，没有一个人敢在我们之前去转过。

林鸣他们过去四年已经成功安装了33根沉管，但都只需要单侧对接。而这根最终接头，不仅要完成双侧对接，而且水下安装余量仅有十几厘米。即使水面风平浪静，海底涌动的洋流也会形成巨大推动力。

最终接头能否精准嵌入安装基槽，需要振华30保持绝对平稳。

这艘大船，是为这次安装专门定制的。耗资20多亿元，历时四年建造。

港珠澳大桥　总工程师　林鸣：

过去干工程是有什么装备设计什么样的方案，你今天看我们港珠澳（大桥工程），你想怎么干，我们国家现在都有能力制造一些专门的东西能够干成。

这样的装备制造实力，让中国建设梦之队无惧任何极端工况。

90度旋转，持续了四个小时，最终接头到达安装位置。林鸣他们每个操作步骤，都要以厘米计算。

港珠澳大桥　总工程师　林鸣：

各个系统注意，轴线调到10厘米以内，东西方向调到5厘米以内。

（振华）30。

工人：

收到。

港珠澳大桥　总工程师　林鸣：

一号落4厘米。

最终接头入水后，林鸣通过电脑数据，控制着安装节奏。

新闻报道：

正在建设的超级工程港珠澳大桥迎来重大节点，海底隧道的最终接头……

港珠澳大桥触发的经济末端的细微变化，已经在730多万香港居民和65万澳门居民中悄悄产生。

因为生意，冯泽田过去二十年不停往返于香港和内地，大桥贯通后，从香港到内地单程仅需30分钟。

冯泽田已经在心里筹划着自己的事业蓝图。

香港　市民　冯泽田：

到时候很多人都不再会坐船，都会跑港珠澳大桥。我相信应该会影响蛮大，整个生活圈会影响很多。

作为龙头，2020年，粤港澳大湾区将形成以珠江至西江经济带为腹地，带动中南、西南发展，并辐射东南亚、南亚的经济大格局，这是中国经济战略布局的一次伟大创举。

一个昼夜的不眠不休，连续17个小时的海上作业。最终接头精准着床。安装精度控制在一端是0.8毫米，另一端是2.6毫米。

港珠澳大桥主体工程全线贯通。

数万名工程师与工人，将人类桥隧技术推向了新的高度。

港珠澳大桥　总工程师　林鸣：

各行各业如果都去做梦，实现一个梦的时候，这个国家会变得无比强大。

天堑变通途，一座座中国桥，正为它赋予新时代的注解。

杭州湾跨海大桥、厦漳跨海大桥、平潭海峡大桥、青岛跨海大桥，中国的跨海大桥，都已经是世界级的。

同样在刷新世界纪录的还有中国的跨江大桥。武汉长江大桥之后六十年，贯通中国南北的跨江通途建设不断提速。今天，仅在长江上已建好和在建的桥梁就突破了100座。

丹昆特大桥，世界第一长桥。跨越公路、铁路、水路，打开了长三角经济要素流动的新通道。

大胜关大桥，世界上设计时速最快的铁路大桥，京沪高铁的重要越江通道。

天兴洲大桥，长江上的新枢纽，光是高铁每天就要通过260

多趟。

除了跨海大桥、跨江大桥，打通一个个偏远断点，让中国经济血脉变得更加畅通的，还有这些西部大山里的中国桥。

习近平总书记：

你看那高度，你看那高度。也是一个很有特色，是吧，别具一格的这样一个桥。

北盘江大桥，相当于200层楼高，它连接起黔川滇三省交界最后一个高速公路断点。

美丽的天山中，这座桥解决了伊犁河谷数十年的出行难、运输难，现在伊犁州能够全天候直通乌鲁木齐。

上海到瑞丽的国道主干线上，峡谷里的坝陵河大桥现在是全世界低空跳伞爱好者们最爱的地方。

美国　低空跳伞爱好者　阿曼达：

我来自旧金山，我们那里也有很著名的桥，但我想它大概是我所见到的最美的桥了。

一座座新颖奇特的现代桥梁，正在重塑中国经济地理的新标志，勾勒出中国经济运行效率的新版图。

工业革命后的历史表明，一个国家如果拥有了一张由钢轨连接而成的经济网络，它所蕴含的能量能够为经济腾飞源源不竭地注入动力。

铁路，至今仍被视作现代化的重要标志。

最近五年，平均每年7400多亿元的投入，这是中国铁路建设史上投产新线最多的时期。

兰渝铁路的建设构想,一百年前,就出现在孙中山先生的《建国方略》中。

从兰州到重庆,850公里,不仅要翻越海拔3000米的秦岭,而且沿途地质状况之复杂,堪称中国铁路建设史之最。

没有足够的技术实力,这条铁路就只能停留于想象。

但现在,工程师们有了一个很有魄力的解决方案。用226座隧道、396座桥梁实现穿越。

胡麻岭隧道二号洞,被视为"鬼门关"。不到14公里的隧道一挖就是八年,最艰难的时期,每天只能掘进半米。

还有最后的15米,兰渝铁路就将全线贯通。

胡麻岭隧道　工程师　夏荔:

给你讲,不要挖,打管,换好片喷浆。

夏荔和同事正在处理涌泥回流,厚度两米的涌泥突如其来,一个星期的进度又回到了原点。

隧道施工,怕软不怕硬。坚硬的岩石,大型盾构机能快速掘进。但胡麻岭的山体,沙粒比米粉还要细,含水量高达28%。

胡麻岭隧道　工程师　夏荔:

你挖一锹,它有时候来两锹,你挖两锹它来四锹,你根本就挖不赢。我们现在就是在这个稀饭里面在打隧道,那里面是一挖一锅粥,一挖一锅粥。

在泥汤里挖隧道,就这样一寸一寸地艰难推进,但再难也得挖通!

甘肃陇西　药材商　杨彦林：

我就盼着这火车早一点开通，我们这里的药材就不愁卖了。

杨彦林，甘肃陇西的药材商，新建的大型中药材市场，就在兰渝铁路旁边。

这里是中国最大的黄芪种植基地，年产黄芪3万吨，只能靠汽车运输。

甘肃陇西　药材商　杨彦林：

到四川或者到云南、贵州这些地方都要三四天，然后物流成本非常高，它一吨现在都要在六七百元，如果是铁路运输的话，它一吨可以达到300元，可以说降一半。

兰渝铁路一旦通车，货运能力每年将达到5000万吨。

车轮滚动出经济要素的快速流动，更滚动出区域协同的新空间、新动力。

固定隧道泥沙，极为困难，即便是一年前带着顶级设备和施工团队来到这里的德国隧道专家，也束手无策。

利用注浆机，按一定比例，分别在隧道前方注入水泥和硅酸钠水溶液。两者会在10秒内迅速凝固，加固隧道。

这是近30名工程师和上万名工人，摸索出来的中国技术。

夏荔的师傅们曾修建过工程难度极大的遂渝（遂宁至重庆）铁路、保龙（保山至龙陵）高速公路，上一代人让夏荔他们懂得了一个道理，一个国家要想创造自己的通途，真正的难题必须靠自己解决。

胡麻岭隧道　工程师　夏荔：

没有攻不破的山，没有过不去的河，干完这个隧道的话，自己说出去，我夏荔，干过胡麻岭，就是这一辈子都是一个荣誉。

2017年6月，胡麻岭隧道贯通。

从兰州到重庆，过去走公路要22小时，现在只需要6小时。

这条铁路将成为继京广线、京沪线之后，第三条纵贯中国南北的铁路大动脉。从西南地区出发的中欧班列，也要通过这里，国际货运时间将节省11个小时。

大路朝天，中国智慧攻克道道险关，与此同时，超强的装备也在不断刷新中国速度。

正在建设的郑万铁路，连接中原和西南的高速客运大通道。

郑万铁路　工程师　乐锋：

联动下放，一挡。

工程师乐锋正指挥吊车，运送900吨重的箱梁。

郑万铁路　工程师　乐锋：

一二号天车联动起升。

这台中国自主研发的新型运架一体机，完成一榀900吨的箱梁架设只需要3个小时，这是目前全世界最快的架设速度。

又一榀箱梁，稳稳地落到指定位置。

这些三十岁出头的年轻人，参与修建的世界级铁路工程，比国外工作了三十年的工程师还要多。

装备、技术、人才，这是创造中国品质、中国速度的实力和底气。

郑万铁路　工程师　乐锋：

（过去）在这个山沟里面连路都修不起，但是通过我们大家一起努力，一天一个样，到最后建成通车了，你所有的付出也都很值得的。

逢山修路，遇水架桥。

登上最美铁路，体验大美中国，已经是百姓最爱的旅游项目。

海南环岛高铁，是列车与大海的美丽邂逅。

兰新高铁，尽览西部风情。

哈大高铁，冰天雪地里的"黄金线路"。

京津高铁，成就了30分钟城市圈。

京广高铁，2294公里的旅程，8个小时甚至可以体验四季变换。

12.4万公里的中国铁路营业里程，穿越繁华都市，纵横田野阡陌。

2.2万公里的中国高铁，总里程超过第2至第10位国家的总和，其中近六成都是这五年建成的。

"八纵八横"高速铁路网的宏大蓝图被清晰勾画。中国的目标，是到2020年，将高铁总里程提升到3万公里，覆盖80%以上的大城市。

与铁路网交相映衬，每年超过1万亿元铺就的中国公路网，向更远处延伸。

这是网友们眼中的中国最美公路，流动的风景让人着迷。

京新高速，世界上穿越沙漠戈壁最长的高速公路。

鹤大高速，春天、秋天，领略完全不同的风景。

川藏公路北线，雀儿山隧道贯通，曾经山鹰都飞不过的山峰，现在10分钟就能翻越。

梦幻、壮美、蜿蜒、惊艳。

中国高速公路总里程13.1万公里，位居世界第一。

让中国奔跑起来，中国车，正在给经济换装新引擎。

这是中国第一列标准动车组"复兴号"。

一列标准动车的组装，分为车体、转向架、总装三部分。

三条生产线上，1.4万名工人，要安装列车上7100多种、总计55万多个零部件，他们能做到零差错。

与日本、德国等高铁强国相比，今天，中国在高铁技术领域已不逊色于任何一位竞争对手。

"复兴号"涉及的高速动车组254项重要标准中，中国标准占到了84%。

这台牵引变流器，是"复兴号"的心脏。

一台牵引变流器有1152个IGBT芯片，这种能让高铁平稳运行的芯片，30多年来一直被少数制造强国垄断。三年前，中国取得突破。

眼前这条IGBT生产线，每年能制造12万个芯片。它们不只用于高铁，还用于智能电网、航空航天、新能源等领域。

中国标准的意义，就在于每一项核心突破，拉动的都是整个体系的升级。

习近平总书记：

高铁，中国产的动车，这个是中国的一张亮丽的名片。

车站广播：

由北京南开往上海虹桥的列车已经请旅客们上车了。

第一辆中国标准动车组"复兴号"正式投入运营。

"复兴号"的身材很完美，这使列车运行时的阻力、能耗和噪音都明显下降。

运行时速高达350公里，从北京到上海只要4.5小时左右。

这些外国乘客，都是专程来体验和感受的。

波兰　留学生　马克斯：

我感到列车行驶非常平稳，几乎感受不到任何摇晃颠簸之类的。我还注意到的一件事是，空间更大了，非常棒。

高颜值、高速度。中国高铁是他们眼里中国的"新四大发明"，是最想带回家的"中国特产"之一。

比利时　游客　桑德拉：

列车员也很多，车很干净，也很快。非常舒适，我非常喜欢这个车。

高速行驶的列车上，4枚硬币稳稳立住。中国高铁的平稳、舒适已经被无数网友点赞。

从中国制造迈向中国创造，中国车率先完成了漂亮的转身。

这是世界上最大的高端列车定制工厂。

为塞尔维亚独家定制的电力机车，按欧洲标准制造，7000

千瓦功率能牵引4500吨货车，它将运行在巴尔干区域最繁忙的货运线路上。

正在组装的，是为印度定制的地铁，选择中国制造的原因之一，是因为这里研发出了全世界独有的保温隔热材料。

大洋彼岸的波士顿，中国陆续拿下的地铁订单，已经超过了400列。

越来越多的全球订单，向中国汇聚，中国的创新成果正被全世界分享。

作为重要的战略支点和枢纽，港口是衡量一个国家综合国力的重要标志。

中国正加速融入全球产业链，参与全球分工。近五年，中国货物进出口总额占世界的比重，始终位居前两位。

作为全球贸易的主角，更加高效的港口和超越以往的港机装备，正牵引着全世界的目光。

世界上最大的港机制造基地。

超过100台颜色不一的港机，每一种颜色将被运往不同国家、不同港口。

又有四台港机启运。

它们将被运往黎巴嫩贝鲁特码头。

这是美国制造业最不愿意看到的一个场景，想尽办法遮住"振华港机"的标志，但结果还是这样尴尬。

中国港机装备全球份额已经从五年前的70%，增长到82%。纵览全球每一段海岸线，中国制造，也只能是中国制造在搬运着整个世界。

但中国工程师们并未就此满足。

全球最大的货轮正沿着世界上最繁忙的航线航行，目的地，中国上海洋山港。

这艘装载着1.9万个集装箱、相当于20层楼房高度的巨轮，仅仅是洋山港每天要迎送的十余艘远洋货轮之一。

作为世界第一大贸易国，这个星球上有近四分之一的贸易额在中国产生。

持续增长的吞吐量，要求中国的港口必须再提速。

洋山港四期正在建设，它将是全球规模最大、最先进的全自动化码头。

10台岸桥，30台轨道吊，50辆自动导引运输车，刚刚安装完毕。

王岩和团队要对这些装备做24小时耐久测试。他们将赋予这个世界级港口，智能时代的全新定义。

码头装卸现场，只见吊车和自动导引运输车忙碌，却空无一人。

未来这里的生产控制只需要9个人。

码头和堆场就像一个巨大的"棋盘"。

这些自动导引运输车，会根据地下埋藏的61199根磁钉，感知自己的位置。

未来会有130辆这样的自动导引运输车同时工作，它们要根据实时装载需要和路况，选择最经济的路线。

王岩他们编写了 30 多万条代码，为自动导引运输车算出最佳路径。

上海洋山港四期系统　项目经理　王岩：

我们这个车队管理系统这个核心主要是在算法这一块，像现在有这么大的规模的自动化码头，我们都可以做下来的话，将来任何一个再大规模的自动化码头我认为我们都有很强的信心。

这些平均年龄不到 28 岁的年轻人，已经是中国港机装备智能化的主力。

智能码头作业效率可以提升 30%，意味着目前世界上最大的集装箱船，在这里装卸能比以前节省 10 个小时。

未来，洋山港所在的上海港，年吞吐量将突破 4000 万标准箱，这将是美国所有港口吞吐量的总和。

这仅仅是中国融通全球的枢纽之一，全球吞吐量排名前十的超级大港，中国已经包揽了七席。

宁波舟山港，2016 年刷新吞吐量纪录，成为全球第一个 9 亿吨大港。

内河第一大港苏州港，江海河联运让这里的内河吞吐量增速位列全球之首。

海岸线的南端，广州、深圳与香港三个国际深水良港紧紧相连。它们手挽着手，为珠三角数以百万计的工厂助力，让世界爱上中国造。

中国北方的港口群，也在壮大。这里有全球航道等级最高的人工深水第一大港。

这里有全球最大的煤炭码头。

有全球最大的40万吨级矿石码头。

还有全球一流的45万吨级原油码头。

巨轮远航,向海而生。

进入21世纪,信息资源日益成为重要的生产要素和社会财富,信息掌握的多寡也成为国家软实力和竞争力的重要标志。

打通经济社会发展的信息大动脉,中国提出了网络强国战略,信息基础设施中国网的建设正全速推进。

一辆国家应急通信车,正从贵州省凯里市赶往300公里外大山深处的铜关村,执行一次直播任务。

铜关村,一个在地图上都不容易找到的小村庄。这里的人和侗族大歌,却因为互联网,名声在外。

铜关村里,网上购物、和亲人视频、分享朋友圈,已经是生活常态。

中国的互联网用户已经有7.51亿人,比2012年增长超过了30%,全球第一。

像铜关村这样通上了移动通信和宽带网的乡村,在中国已经有54万个,覆盖率超过了96%。

今年的大歌节很特别,因为直播要采用不一样的信号。

技术人员正在安装的设备,采用的是中国自主研发的,在国际上屡获殊荣的下一代移动通信核心技术。

中国的移动通信发展实现了从2G跟随、3G突破、4G同步,到 5G 引领的跨越。面对信息化潮流，只有抢占制高点，才能赢得发展先机。

5G 信号能否穿越大山的阻隔，这场侗族大歌直播，是测试信号、采集数据的最佳试验场。

大歌节，开始了。

将近 300 台移动设备，在同步分享现场盛况。

所有人的直播都完全没有卡顿。

信号测试成功了。上传速率提升了 5 倍，下载速率提升了 10 倍。

中国已经将 5G 商用时间锁定在 2020 年，全球领先。

没有信息化就没有现代化，让互联网发展成果融进百姓的笑容，让中国先进的技术服务世界。

习近平总书记：

可以说世界因互联网而更多彩，生活因互联网而更丰富。我们的目标就是要让互联网发展成果惠及 13 多亿中国人民，更好地造福各国人民。

中国已经建成全球规模最大的 4G 网络，竖起 299 万个基站，拥有 8.9 亿用户。这片土地上，光缆线路总长已达 3041 万公里，全球第一，其中有 60% 都是这五年铺设的。

五年来，全国信息通信基础设施投入超过 2 万亿元，一个世界上最大规模的移动互联信息交互系统出现在了中国。

中国网也在向地下延伸，涌动着建设新理念的还有地下管网建设。

将原来分开铺设的电力、通讯、给水、燃气等"城市生命线"集中设置，消除城市的"拉链路"和"蜘蛛网"，这些现代化、科学化、集约化的城市地下基础设施，到2020年，中国将开工建设8000公里以上。

在最鲜活的生活中，人们触摸到五年来一个个圆梦工程给中国社会带来的改变，这些变化坚强、有力、迅猛而又温暖地铸就着这个国家前行的每一个脚步。

成就13多亿人福祉的中国梦，已触手可及。

中国的版图上，组成中国网的还有这些大工程。

这里是山东博兴，一渠清水从1000多公里外的长江奔流而来，全力保障胶州和鲁北大地。

这里是北京团城湖明渠，南水北调中线工程北京的最末端。丹江口水库的优质水源一路北上，从中原大地到华北平原，充盈着沿线百姓的日常所需。

这个世界上最大的水利工程输送的水量，已经相当于从南到北搬运了770个西湖，让超过1亿人受益，减少地下水开采8亿立方米。北京地下水16年来首次出现回升。中国水资源南北调配的宏伟构想终于变成现实。

穿越中国的能源大动脉，还有这里，全世界距离最长的天然气输送工程。

西气东输二线已经全线投产，近2万公里的天然气管网，覆盖全国17个省、区、市和香港特别行政区，4亿中国百姓用上了清洁能源。

西气东输三线工程还在建设，它将进一步构筑西北能源战略大通道。

3000多亿元织就的西气东输管网格局初步形成。全国输气能力比五年前增长56.5%。

西电东送，中国的电力配置格局同样在升级。

工人们正在建设的这个1000千伏特高压工程，连接着上千公里外的西部大型清洁能源基地。

仅最近五年，中国投入运营的世界级特高压工程就有12个，还有8个在建设。中国的特高压工程被国际大电网组织誉为世界电力工业发展史上的重要里程碑。

五年来，一大批重大工程建设成功，大大加快了中国现代化进程。

中国桥、中国路、中国车、中国港、中国网，一个个圆梦工程铺展宏图。

它们编织起人民走向幸福、美好的希望版图，编织起中华民族伟大复兴的中国梦。

向着这伟大的梦想，铿锵的中国脚步，自信、前行！

成就数据：

高速公路里程13.1万公里，世界第一，2020年将达15万公里。

高铁里程2.2万公里，世界第一。

城市轨道交通4153公里，世界第一。

光缆线路3041万公里，世界第一。

世界前 10 斜拉桥，中国占 7 座。

世界前 10 悬索桥，中国占 6 座。

港口吞吐量世界前 10，中国 7 席。

第二集

创新活力

第二集《创新活力》完整视频

自古以来，科学技术就以一种不可逆转、不可抗拒的力量推动着人类社会向前发展。

习近平总书记：

历史告诉我们一个真理，一个国家是否强大不能单就经济总量大小而定，一个民族是否强盛也不能单凭人口规模、领土幅员多寡而定。近代史上，我国落后挨打的根子之一就是科技落后。

当今时代，新一轮科技革命和产业变革正在孕育兴起。机者如神，难遇易失。中国的战略抉择是，把创新作为引领发展的第一动力，把科技创新摆在国家发展全局的核心位置，大力实施创新驱动发展战略。

唯创新者进，唯创新者强，唯创新者胜。

这五年，科技创新正在让百姓生活更为便捷，让企业发展更具活力，让国家实力更加强大。

创新，我们最深沉的民族禀赋，再次焕发出撬动地球的力量。

戴维，来自澳大利亚的小伙儿，在呼和浩特生活了七年。

娶了蒙古族姑娘，生了混血宝宝，女儿今年三岁了。

外语教师　戴维：

我特别爱中国的生活，我觉得中国的生活特别厉害。你不需要那个现金，我两个月差不多没有现金。

商贩：

可以微信（支付）。

外语教师　戴维：

中国的移动支付，真发展很快，特别特别快。每个老人都会用微信，知道吗，在澳大利亚不会，他们也没有手机支付。现在这么方便，用手机买饭、买衣服，啥都会买，你现在也可以买车知道吗，这个也可以。

在中国，每三个手机用户，就有两个在使用移动支付。这里是全球最大的移动支付市场。

作为世界上第一个发明并使用纸币的国家，这一次，中国又在引领全球支付体系迈入新时代。

戴维现在最希望的，就是把妈妈接到中国来一起生活。

想让妈妈尽快适应在中国的生活，学会手机支付，很必要。

外语教师　戴维：

妈妈，看，我没有带钱，没有现金。

戴维的妈妈：

非常好。

外语教师　戴维：

看看已经完成了。

戴维的妈妈：

非常简单，非常好。

外语教师　戴维：

我妈妈说太简单了，中国相当酷。

戴维的妈妈：

中国非常棒，我很喜欢，购物简单，支付简单，不需要信用卡，非常棒。太酷了，太棒了。

看病、下馆子、叫外卖，菜市场、加油站，甚至路边摊，中国到处都能移动支付。

这个随心所欲的支付新时代，完全得益于中国云计算和金融系统运算实力的迸发。新技术的提升，还在撬动零售模式的世界级创新。

在杭州，诞生了全球第一家无人零售店。人脸识别、语音识别、自动扣款一气呵成。

在广州，这个无人商店更像一个大型自动售货机，想买什么，就手机扫码。

在北京，超市里安装了智能分拣系统，所有商品，线上线下都可以下单，30分钟就能免费快递到家。

这是全世界都在羡慕的中国，一个用创新科技铸造起的时髦前沿、方便快捷的互联网国度。

现代化的生活方式，每一天都是新鲜的。

这是忻鹏大喜的日子。

骑上共享单车，迎娶新娘，这一天，一定要与众不同。

宁波　市民　忻鹏：

就我这个城市，可能还没有人骑车迎亲。所以说我觉得蛮好的，就是想跟人家有一点不一样。

共享经济在中国的普及速度，让世界难以想象。

这个传统的自行车大国，只用了几个月，就把自己变成了五彩斑斓的海洋。

虽然没有豪华轿车相伴，但浪漫丝毫没有减少。

宁波　市民　忻鹏：

从来没有那么多人拿着相机对我们拍，路上被围观的感觉，蛮好玩的。

又一批新车型即将投入批量生产，王晓峰赶到工厂盯进度。

自行车诞生200年来，第一次因为中国共享单车的发展，被赋予新的科技属性。王晓峰也不曾想过，自己会因此而创业。

摩拜　首席执行官　王晓峰：

我想在行业内，在全世界都是一个壮举，一个创新的举动，因为在过去从来没有人能够去把数以百万计的连着网的这个移动的自行车，能够连在一起。

科技，正成为聚合中国创新资源的核心力量。

在中国，现在每分钟就有11家初创公司诞生，中国已经是全球创新的重要发源地。

这是传统自行车装配线上看不到的工序。

轴传动能让自行车不再掉链子，智能锁装载了卫星定位。

摩拜　首席执行官　王晓峰：

我们先后进了三个国家的五座城市，英国的曼彻斯特和索尔福德，然后日本的福冈和札幌，我想这不仅仅是我们带给中国的城市的一个礼物，更多的是带给全世界的这个大城市的一个礼物。

这张摩拜实时卫星图，图中每一个亮点，都代表着一辆正在使用的共享单车。

这已经不是一家企业记录商业信息的简单展示，它呈现给世界的，是一个国家强大的移动通信能力，精准的卫星定位系统，而拥有这种能力和系统的国家，全世界屈指可数。

中国人今天的生活，已经越来越有科技含量。

2016年，中国移动支付金额超过208万亿元，世界第一。

交易成本下降，激活市场，全球近四成的网上零售交易都发生在中国。

外国人来中国最想带什么特产回家？共享单车、移动支付、网购，纷纷进入了他们的清单。

衣食住行、娱乐休闲，科技支撑下的中国买买买，正惠及全球。

智利每年80%的车厘子，要在中国卖掉。

旺季，加拿大每天都有直通中国的生鲜航班，中国人每年要消费加拿大龙虾 7 亿元。

消费支出对中国经济增长的贡献率，2016 年已达 64.6%。2016 年中国跨境电商交易规模进入"万亿时代"，外商惊呼，中国遍地是黄金。

这里是中国快递业最大的智能分拣工厂。

要确保包裹在三个半小时内全发出去，必须依赖于这些不知疲倦的"小黄人"。在过去，要完成这个分拣量，至少需要 100 名熟练工人。

2000 平方米的作业面积，可以产生的路径有 3000 亿条。怎样迅速找到最佳路径，又避免和其他"小黄人"相撞，要归功于一个厉害的大脑。

天津申通物流信息部　经理　葛志中：

我们整套的机器人设备，它五分钟的计算量，相当于北京我们最繁忙的首都机场，一天航班的起降的计算量。

这个全球第二大经济体的新效率、新速度，正在创新驱动的国家战略下，找到新的支撑。

中国每年要产生 300 亿件快递包裹，智慧物流体系的建设领先全球。

这些省际交界的超级智能中心仓，分拣、装箱全都用上了最前沿的技术。

大数据系统甚至可以计算出每个包裹需要多大的纸箱，做到绿色环保。

无人车、无人机，以更快的速度运抵千家万户。

连续三年排名世界第一的中国快递业，正向每天运送1亿件包裹发起冲刺。

科技不仅快速深刻地改变了中国人的生活方式，更为企业插上了腾飞的翅膀。

信振宇，正在测试即将在2018年投放市场的一款新车。

中国汽车业历经30年与国际接轨，正期待一次实力的爆发。其背后，是"中国制造2025"的国家蓝图。

在新一轮工业转型革命的跑道上，德国提出"工业4.0"，美国提出"工业互联网"。中国的态度很明确，实体经济是国家的本钱，要发展制造业，尤其是科技支撑的先进制造业。

这是信振宇他们刚刚建成的智能工厂。

151台机器人等待调试，这些钢铁臂膀将承担车体的全部焊接工作。

华晨汽车　智能制造项目经理　信振宇：

你看这条生产线全是我们国家自己的机器人，这在汽车工业60多年历史上，还是第一次这么大规模地使用。

这些机器人，红色的产自中国，黄色的产自德国。

此前，高端焊接一直是德国机器人的天下，但现在这里有42台是中国制造，占到了近三分之一。

这是中国高端汽车生产线上，第一次大面积出现"中国红"。

发动机舱焊接，是制造的关键。

发动机舱曲面多，结构复杂。重达100公斤的焊钳，机械手要稳稳端住，不能有丝毫抖动，与此同时，手臂穿过缝隙时余量只有10毫米。

这种复杂工况需要高端智能控制系统，核心技术一直被国外垄断。

但现在，王金涛他们已经完全掌握。

新松机器人　工程师　王金涛：

国外可能用了四五十年发展的机器人的部分，我们现在用了八九年的时间，现在能够进入汽车生产线，实现这种高端车型的生产，那么就标志着中国的机器人已经进入了这种高端高品质机器人的行列。

这间智能工厂2017年年底将正式投产。未来这里每105秒，就会有一辆家用小轿车下线。

创新驱动下的换挡提速，在东北这个中国最大的机器人生产基地里更加直观。

这是制造芯片用的真空机器人，负载能力全球第一。它可以在真空环境下水平移动20公斤的半导体材料。全世界只有中国和美国掌握这项技术。

这些移动机器人，已经成为物流装备的主力军。这台能叉起3.5吨的货物，是全球最有竞争力的大力士。

这些服务机器人，将出现在全国各地的餐厅、咖啡馆和银行。

而这里，是中国第一个用机器人制造机器人的数字化工厂，巨型自动化立体仓库里，抓取机器人可以在狭小空间里高速穿梭，精准地抓取任何零件。

2016年中国工业机器人销量接近9万台，位居世界第一。2017年一季度，中国工业机器人的产量又同比猛增55.1%。

新松机器人　总裁　曲道奎：

几乎现在中国所有的制造业，现在都已经开始大批量地应用机器人，这个在过去5年前，我们是完全不可以想象的。

中国机器人的应用领域，很快也将跃升世界第一。

"大眼萌"巡视机器人已经在广东电网上班，再恶劣的天气，它们也能巡检设备。

中国首台风力驱动机器人，参与了极地科考，它可以搭载50公斤重的仪器，在大风中不间断行走。

科研人员正在研究鱼鳍的摆动，这种仿生机器鱼，能在危险水域进行海底勘探，真正的鱼类会以为遇到了同伴。

工业化、信息化深度融合，中国正向制造强国迈进。

新中国成立初期的机床老大哥，掌握了全球最先进的高端智能机床制造诀窍。

中国面板巨头的第六代柔性屏生产线投产，一举打破了国外垄断的局面。

中国的超算已经站上技术制高点，世界最快的超级计算机神威·太湖之光，完全使用国产芯片，性能让对手望尘莫及。

衣食住行，新动能还在更多领域培育。

老牌家电企业的智能线上，现在每10秒就能造出一台个性定制冰箱。

六十年历史的奶业工厂，高品质牛奶智能线，正满足千家万户的需要。

新技术，成就中国流水线上的含金量。

在国家支持下，中国的智能工厂已经遍布146个行业领域。

习近平总书记：

创新不是别人能赐予的，特别是在关键技术、核心技术上，只能靠中国人自己的努力，否则你只能跟着别人走。

今天，在互联网、物联网、云计算、大数据、智能制造等新科技应用方面，中国创新令世界惊艳。

这些创新正在塑造着面向未来的新型经济，正在助推中国在新一轮科技革命和产业变革中实现弯道超车。

综合国力竞争，说到底是创新能力的竞争。

增强国家实力，必须要有一批体现国家战略意图的重大科技项目。

2017年5月5日，注定被历史铭记的日子。

萦绕中华民族百年的大飞机梦，终于取得了历史突破。

C919首飞成功，中国收获了又一个大国重器。

13公里外，浦东制造基地，第二架C919正迎来关键的生产节点。

工作人员：

抬轮。

C919副总设计师　周贵荣：

收起落架。

周贵荣正和同伴模拟起飞时的状态。

航电系统，飞机的神经系统。

看似简单的拉杆动作，每秒会产生上千万个传输信号，有1000多个设备配合工作。

此前，全球只有波音、空客拥有大飞机航电系统的集成能力，相关技术严密封锁。

在C919身上，中国人研发出了自己的大飞机航电系统。

一个民族，不能总是用别人的昨天来装扮自己的明天。

C919副总设计师　周贵荣：

我们这个本身研制成功的突破，不仅仅是研制一个产品，而是把我们整个研发的体系、我们的能力给建立起来了。

尖端技术，如同粮食，端自己的饭碗才会香甜。

习近平总书记：

我们这个国家也是最大的飞机市场，每年的话要成百上千亿的都花在这个买飞机上，过去那个逻辑是造不如买、买不如租，我们现在要花更多的钱来研制、制造自己的飞机，形成我们独立的自主的这种能力。

大型飞机的重量，主要靠起落架支撑。

C919起落架必须承受住载重70多吨的飞机落地瞬间的冲击力。

要生产如此巨大的高强度钢部件，必须依赖眼前这台有13层楼高的巨型机器。

这是世界上最大的8万吨模锻压机，即将锻造C919起落架关键部件"主起落架外筒"。

叶林伟：

压机已经准备好了，可以出料干活。

工作人员：

收到，收到。

完成这次任务，操作手叶林伟胸有成竹。

他操作这台机器，已经为中国航母的燃气轮机、高铁的转向架，生产过各种结构复杂的大部件。

巨型模锻压机，是象征重工业实力的国宝级战略装备。

拥有它，制造大飞机、航母、高铁所需的高端大型模锻件，中国都可以自己造。

这五年，让中国人自豪、西方人赞叹的重型装备不断出现。

能吊起美军驱逐舰的千吨起吊机；能吊装英国航母的巨型龙门吊；被美国福特引进厂房的大型全自动冲压装线；还有与德国巨头同台竞技的中国首台十万空分压缩机。

它们每一个，都代表了这个领域的世界最高水平。

中国的大飞机，不只C919。

世界上最大的水陆两用飞机AG600顺利下线，填补了中国大型应急救援装备的空白。

运-20首飞成功，实现中国大型运输机零的突破。全球能自主研制200吨级大型机的国家没有几个，中国成功跻身其中。

运-20列装空军的同时，短短几年，一批先进战机相继问世。

歼-20，中国自主研制的新一代隐形战斗机，让中国成为美国、俄罗斯之后第三个能自主研发四代机的国家。

隐形战斗机歼-31，综合作战性能优异，能同时试飞两种四代原型机的国家，只有中国和美国。

而这架翼龙无人机，没有盲区的眼睛可以360度旋转，能在空中停留20小时，大范围跟踪锁定目标，并执行打击任务。

在海上，第一艘航母"辽宁号"2012年交付入列，人民海军从近海驶向更远的海域。歼-15舰载战斗机腾空的一刻，点燃了中国人炽热的爱国心。

2017年航母001A出坞下水。这是中国第一艘完全自主建造的航空母舰。中国成为全世界为数不多的能够自行建造航母的国家。

在海工领域，中国的成就同样令世界瞩目。

全球最大的海上钻井平台"蓝鲸2号"即将迎来首航。

建设海洋强国的战略已定，中国必须拥有自己的深海利器。

这个海上巨无霸，有37层楼高，甲板有一个足球场大。它可以在水深超过3000米的海域作业，最大钻井深度15240米。这是全球最大、钻井深度最深的海上钻井平台。

工作人员正在对推进器进行最后检查，这样的推进器一共有八个。它们的推力大小，完全靠计算机根据采集来的风力、洋流等参数，自动计算并控制，以确保"蓝鲸2号"能够在15级飓风下屹立不动。

要将推进器准确入位，需要潜水员和平台工作人员默契配合。

工人1：

有没有阻挡？

工人2：

没有阻挡，可以继续前进。

海上钻井平台被称为"流动的国土"，是一个国家整体工业实力的重要体现。

几年前，中国还完全没有自主制造海上钻井平台的能力。

现在，不仅能够自己制造，而且领先全球。

"蓝鲸2号" 生产经理 程骋：

我来这已经九年了。九年前大部分我们船上的面孔都是洋面孔。那么现在，大家都可以看到有一股强大的中国力量在引领着我们这个海工行业的发展。

"蓝鲸2号"试水的同时，它的哥哥"蓝鲸1号"正在南海深处，执行一项重大任务。

邱海峻，奉命降落平台。

水下1266米，中国首次海底可燃冰试开采，正在进行。

这团红色的火焰，就是被点燃的可燃冰。

这是一种深藏在海底沉积物和陆地千年冻土当中的天然气水合物。

地球上可燃冰的储量可以供人类使用千年，怎样把它开采出来，全球30多个国家都在竞相研究。

这是值得纪念的一天！

可燃冰安全开采持续了整整60天,产气总量超过30万立方米。产气时长、产气总量,双双打破世界纪录。

60天,中国完成了这个领域20年的赶超。

中国正从海洋大国向海洋强国迈进。

一个个世界领先水平的深水重器,接连入水。

深海载人潜水器"蛟龙号"已经完成152次试验性应用下潜,下潜深度世界第一。地质、生物、越来越多海底奥秘被发现。

地球最深处,马里亚纳海沟,也有了中国深潜器的身影,深海11000米,这是中国人标记的未来。

作为世界造船大国,中国的船舶订单量、建造量和未交付订单占有率三大指标,世界第一,世界上已有船只类型95%以上中国人都能造。

船厂职工:

总书记好!总书记好!

习近平总书记:

大吊车真厉害,轻轻一吊就起来。

这种长度接近3个足球场的LNG船,需要确保液化天然气在零下160度环境中安全运输,这颗"造船业皇冠上的明珠",只有中国、美国、日本、韩国少数几个国家能够建造。

中国自主设计研制的"远望7号"船,首航一年已经为"天舟一号""嫦娥五号"的发射立下了赫赫战功。这艘大型测量船集当今船舶建造、航天测控、航海气象、船舶动力等领域的最新技术于一身，947套科研设备可以执行各类航天器的测控任务，是国际一流的"海上科学城"。

依海富国，以海强国。建设海洋强国，中国正在迈出一个个坚实的步伐。

中华民族的伟大复兴，需要瞭望更多的战略领域。

这是人类历史上最大的射电望远镜FAST，综合性能是美国著名望远镜阿雷西博的10倍。

它将帮助人们探索百亿光年以外星际间的互动信息。

姜鹏将带领团队执行天眼落成后最重要的馈源舱调试任务。

如果说FAST是眼睛，馈源舱就是它的瞳孔。

用六根钢索拉起馈源舱，将重达30吨的舱体，在高空精准定位，误差不超过10毫米，这样的工程难度世界上前所未有。

FAST工程　调试核心组组长　姜鹏：

因为这个设备是从来没有人干过的，这么做过的事情，它也没有什么可参考的经验，在你真正实现前，也没有人敢给你这个答案。

天眼建设，每一步都是难关。

基础科学是研究之母。一个国家能否成为有世界影响力的大国，需要基础科学领域的响亮发声。

从提出构想到建设完成，三代科技工作者，历经22年，先后攻克了十多项世界级难题。

FAST工程　网络工程师　杨清亮：

现在我们在望远镜底部，看到的反射面它实际上浮在半空中的，因为每块反射面板大约50平方米，所以当时我们其实想过很多的吊装方案，甚至包括热气球的吊装，像这种大跨度高精度的吊装方案，在全球来说，也是没有先例可循的。

7000多根钢缆织起的这张巨网，是世界上跨度最大、精度最高的索网工程。

4450块反射面板，每一块都可以转动。

中国天眼的发明意味着，人类观测太空已不存在任何死角。

国家天文台　副台长　郑晓年：

这种有创新的东西，反映一个国家的综合实力，我一直在说，FAST只有中国人能建成，因为我们可以举国体制办大事情。

合抱之木，生于毫末；九层之台，起于累土。

举一国之力，为未来打下坚实的根基，这是中国独有的创新优势。

舱索联动，馈源舱终于实现毫米级高精度定位。

FAST工程　调试核心组组长　姜鹏：

有很多当时觉得不可能实现的东西，正一步步在实现，我觉得这个是蛮有自豪感的。

一项项尖端创新，正不断拉伸人们对"顶配中国"的想象。

"嫦娥三号"月球探测器，首次实现月球软着陆，创造了在月工作时间全球最长纪录。

世界首颗量子卫星"墨子号"提前实现全部既定科学目标，中国量子通信领跑世界。

"天宫二号"，这是中国第一个真正意义上的空间实验室。

国际航天专家预测，2024年中国将成为世界上唯一拥有空间站的国家。

习近平总书记：

你们已经在太空生活了半个多月，全国人民都很关心你们。

航天员：

我们为伟大祖国感到骄傲和自豪。

站上科技制高点，中国已经有足够的底气，拥抱未来。

功以才成，业由才广。千秋基业，人才为先。

当创新成为驱动发展的核心动力，中国比历史上任何时期都更加渴求人才。

一个具有全球竞争力的人才体系，正在中国构建。

这一刻，姚力军和他的团队等待了12年。

全球掌握芯片金属靶材制造技术的公司只有美国、日本几家公司，姚力军他们是最先进入到这一领域的中国企业。

宁波江丰电子　董事长　姚力军：

我是在国家的感召下回来的，就是要把中国的芯片材料做强做大，不受制于人。

芯片是中国输不起的战略领域，中国每年芯片进口的花费已经超过原油。

姚力军是全球掌握高纯度金属靶材核心技术的少数专家。

金属靶材，作为制造芯片的关键材料，中国这个领域之前一片空白。

现在，姚力军他们不仅结束了金属靶材必须依赖进口的历史，甚至冲进了这个领域的全球第一梯队。这背后，关键是人才。

每次一有这样的聚会，就是又有同伴回国了。

"千人计划"的归国专家，都可以住进这样的、政府免费提供的公寓。

盖有非常之功，必待非常之人。中国留学海外的人才，回国总数已经突破265万，其中有70%都是近五年回来的。全国为留学人员建起的创业园有347家，与众不同的创业环境，让他们看到了更多发挥才智、展现价值的空间，看到了中国以科技创新为核心的全面创新的巨大成效。

回国人员1：

你做一个企业的话，你想去创业，能够做到拎包入住的话，这省了你多少麻烦。

回国人员2：

注册公司你花了多长时间？只花了13天时间，从递上去，在日本都办不到，可在这里能办到。

回国人员3：

免费给我们厂房。

回国人员4：

现在情况就是，电不够用了，那就给你想办法来解决增容。

宁波江丰电子　董事长　姚力军：

但同时背后是什么？是大家对我们的期待，人家给了我们这么好的条件待遇，创业拎包入住，什么都优待你，你怎么能够回报这份期待。

歌声里的斗志，催生出又一个新成果。

这是刚刚研发成功的高纯度钨靶材。它的制造技术之前一直被国外垄断。

突破它的研发小组，是平均年龄不到29岁的年轻人。

全国科技创新大会提出科教兴国和人才强国战略，托起了中国的人才体系建设。

姚力军回来的时候，国家人才工程只有"千人计划"。现在，培养本土高层次人才的"万人计划"已经启动。

一个尊重知识、尊重创造的国家，必有希望。

习近平总书记：

现在这么开放，来去自由，我们每年的留学生就是几十万，有很多我们土生土长的，也有很多海归，现在的话，择天下之英才而育之、而用之，我们自己是可以培育出我们的人才。

年轻人挑大梁，正成为中国创新的隐形利器。

西安，平均年龄三十出头的飞机研发团队，被国际同行誉为最年轻的设计大脑。

成都，充满活力的年轻人，将引领超导磁悬浮列车的未来。

深圳，这些充满朝气的笑脸，已经是5G技术的研发主力。

无锡，国家重点实验室里，年轻的双手刚刚创造出全球晶硅太阳能电池效率的世界纪录。

合肥，平均年龄只有35岁的量子科学团队，接连实现了量子通信、量子计算的重大突破，中国已站在全球量子研究的最前沿。

参与大科学计划、大科学工程，中国新一代正全面接棒。

这些年轻工程师正在研发"人造太阳"，他们正努力揭开人类能源利用的终极秘密。

雅砻江地下2400米深处，年轻科学家努力寻找着被称为"宇宙幽灵"的暗物质，中国现在是全世界距离发现暗物质最近的国家之一。

瞭望人类未来的还有这里，平均年龄只有27岁的基因工程师，他们对世界基因测序的贡献已超过了50%。

让世界羡慕的中国实力还有他们——

这些中国航天一线科研人员平均只有30多岁，这是让全世界航天人都羡慕嫉妒的年龄。

锐意创新、敢为人先，中国创新的沃土上，他们蓬勃向上。

习近平总书记：

未来总是属于年轻人的。拥有一大批创新型青年人才，是国家创新活力之所在，也是科技发展希望之所在。

新故相推，日生不滞。

这个国家比以往任何时候都更加确信，科技是国之利器，人民生活赖之以好，企业赖之以赢，国家赖之以强。

创新驱动发展，一个创新型的国家，正越来越近。

成就数据：

2016年中国移动支付金额208万亿元，世界第一。

2016年中国工业机器人销量约9万台，世界第一。

全国人才资源总量1.75亿人，较五年前增长43.8%，世界第一。

发明专利申请受理数年均超100万件，世界第一。

2016年研发经费1.57万亿元，比2012年增长52%，世界第二。

科技进步对经济增长贡献率从2012年的52.2%提高到2016年的56.2%。

2017年全球创新指数中国第22位（2013年第35位），位居中等收入经济体第一。

2020年中国迈进创新型国家行列。

第三集

协调发展

第三集《协调发展》完整视频

历史上，不乏因发展失衡而使国家落入"陷阱"停滞不前的例子。

中国，在经历了几十年快速发展之后，西方经济学中那道所谓绕不过去的"中等收入陷阱"横亘眼前。

如何缩小发展中的贫富差距、城乡差距、区域差距，让千百年来共同富裕的梦想照进现实，让中国的发展更加平衡协调、持续健康，"学会运用辩证法，善于'弹钢琴'。下好'十三五'时期发展的全国一盘棋，协调发展是制胜要诀"。这是中国制度特有的优势，这是中国智慧创造的独特方案。

这五年，历史记录下的是那些携手共进的成功跨越，时代沉淀下的是这些饱含温情的人间故事。

大凉山腹地，海拔1600米的悬崖顶上，有一个与世隔绝的村庄。

这里的人们进出大山，必须靠17段用藤条和木棍编织的藤梯。从山脚到山顶，人们每天要这样攀爬，直上直下的悬崖有13处。

这条让人揪心的路，仅仅是中国扶贫脱困要闯过的险关之一。

这些天梯上的孩子，是赵明拍摄的。这是他第13次来到这里。

摄影师　赵明：

我去年的时候因为拍全家福来到了这个村子。因为它根本就不是一条人走的路，可以说是猴子走的路。在悬崖边上的一些草，就打成一个一个的结，孩子们就是抓着这个草往上爬，当时我理解的就是说救命稻草。

消除贫困，是全世界面对的共同难题。2015年中国发出了扶贫攻坚的号令，中央庄严承诺，绝不丢下一个贫困群众，2020年实现全面小康。

这承诺产生的巨大力量和变化，赵明每一次来，都能在孩子们越来越开朗的笑容里看到。

摄影师　赵明：

今年我又来到了这个村子，让我想象不到的是这个村子已经有了一条钢管路，对于村民来说是一个很了不起的工程。

36000米钢管，垂直距离900米，一条钢梯盘山而建。

摄影师　赵明：

当我们坐在这，心里感觉特别踏实。

小学生　曲波：

有时我们还可以在钢梯上坐一会儿，还可以在这里一起唱歌。

悬崖村过去人均收入每年只有1700多元，通路难、卖粮难。但现在，赵明的老朋友陈谷吉，日子已经好了起来。

钢梯才开始修，就有背包客进村。

土蜂蜜，背包客们给出了一斤100元的高价，陈谷吉赚到了人生中第一个5000元。

凉山彝族自治州悬崖村　村民　陈谷吉：

三年种苞谷的收入不如我这50斤的蜂蜜，有钱的话可以开个小农家乐，一步一步这样发展。以前没有路的时候，我没有想过这么多的事儿，我们的未来终于到了。

钢梯并没有完全竣工，剩下这最后200米，是最难修的。为了修天梯，国家已经投入了100万元，但这最后的难关，不是花钱就能解决的。

山顶风力最大的时候有7级，没有工人愿意冒着生命危险上去。

施工队　负责人　龙德顺：

叫了人来，他们做一天就走了。

中国有12.8万个贫困村，每一个脱贫，都是一场攻坚战。

拿着钱都找不到施工队的心情，让28岁的乡党委书记阿吾木牛，更懂得了中国决心要完成的这项扶贫工程有多么艰巨、多么伟大。

凉山彝族自治州支尔莫乡　党委书记　阿吾木牛：

我们现在对抗的是几百年来都没有人能够改变的天堑问

题,在脱贫攻坚这场战役进行到今天,剩下的都是最艰最难的"硬骨头",虽然困难重重,但是我们没有退路,必须迎难而上。

阿吾木牛刚来的时候,也想过让悬崖村搬迁,但悬崖顶上空气好、水土好,无论是种植、养殖,还是开发悬崖旅游,都很有潜力,村民们也愿意留下来发展。

中国的精准扶贫战略最大的特点,就在于因村施策、因户施策,甚至因人施策。悬崖村只要把路修通,游客能进来,产品能下山,百姓就能富起来。

今天是银行发放小额贷款的日子。

谁家适合扩大养殖,谁家适合开农家乐,都是乡里挨家挨户考察过的。

得知阿吾木牛和施工队的难处,全村人都赶来帮忙。

这两年扶贫干部的认真投入,他们看在眼里。

互相帮衬,路才能更快修通。

凉山彝族自治州悬崖村　村民　甲拉以洛:

外头人帮助我们给我们修路,我就很高兴。

凉山彝族自治州悬崖村　村民　某色阿旦:

(为了)下一代好过生活。

凉山彝族自治州支尔莫乡　党委书记　阿吾木牛:

脱贫攻坚是一场硬仗,下一步我们还将恢复启用我们的货运索道,建设缆车,我们悬崖村一定会发生翻天覆地的变化。

悬崖村,已经有了第一所幼儿园。

山脚下的学校里,建起了新的教学楼。

现在村民们人均年收入,已经达到了7000元。

摄影师 赵明:

我相信这里的村民,他们的生活会过得越来越好。

2017年元旦,又一个新年的开始。

对于中国几千万贫困人口来说,这是一个温暖的节日。

习近平总书记:

我最牵挂的还是困难群众,他们吃得怎么样,住得怎么样,能不能过好新年,过好春节。

2020年中国要彻底消除贫困,意味着平均每分钟要脱贫约20人,这确实是一场分秒必争的决战。为了这个目标,全国有77.5万名驻村干部在奔忙。

春耕,扎西岗村一年的忙碌又开始了。

洛措,村里的第一书记,2015年来这里工作。

村民:

老师,你去哪儿?

西藏自治区扎西岗村 第一书记 洛措:

我要去入户。

村里人住得分散,洛措每天都要走上十几公里。老乡们遇上洛措,总会主动捎她一段儿。扎西岗村有88家贫困户,每户的情况都不一样。

孩子上学、老人看病、住房改善、农业生产,国家173项扶贫政策,谁家具体需要哪些帮助,只有洛措最清楚。

拉卓玛大娘家的孩子考上了大学,这是村里的希望,不能耽误。

西藏自治区扎西岗村　第一书记　洛措:

家里不是有上大学的小孩,生活补贴上有一些变化,以前每个月是200元,现在每个月是600元。

西藏自治区扎西岗村　村民　拉卓玛:

小孩生活补贴对我家庭很有帮助,感谢共产党,中国共产党万岁。

洛措最放心不下的,就是罗桑旦达一家。

隔三岔五,她都要到田里来找他。

根据乡里的评估,最适合罗桑家的脱贫办法,就是易地搬迁。

西藏自治区扎西岗村　村民　罗桑旦达:

这边有几亩地,再说年纪这么大,就业有困难。

二期搬迁名单又下来了,罗桑是最后一户不愿签字的村民。这两年,罗桑已经几十次拒绝了洛措的搬迁提议。

割舍不下种了半辈子的土地,但家里的情况又难以为继。房子有了裂缝,老伴儿和大女儿长年患病。搬迁到集中安置点,不仅能有免费住房,看病、就业都会更方便。

西藏自治区扎西岗村　第一书记　洛措:

今天找了他一趟,明天再去找他一趟,人家就可能有点不愿意见我,就不愿意给我开门。

这是洛措这周第二次来罗桑家,今天她带来了愿意承包罗桑家土地的租户，这个租户也是她联系了好长时间才找到的。

可这一次，罗桑还是不愿意签。

西藏自治区扎西岗村　第一书记　洛措：

我就觉得自己（没结婚）都当妈妈了，25岁。因为他们自己不操心的事情，我常常需要替他们操心。他也不理解你的苦心。想到他们将来可能过上幸福的生活，就想到这儿的时候，我想他们将来肯定会能懂我那种心情。

洛措还是想再试一次。一大早就带着罗桑来安置点。

达孜县6个乡镇的200多户贫困人家，已经搬到了这里。新家的环境，超出了罗桑旦达的想象，他不停地打听着这里的生活。

西藏自治区扎西岗村　村民　罗桑旦达：

好得很，漂亮得很，现在看到了就高兴极了，房子质量好，什么都好，感谢政府。

距离安置点不到一公里，就有农业产业园、酿酒厂，还有制作手工艺品的工业园区。罗桑大爷的女儿，将来可以在这里上班。

搬得出、稳得住，所有安置点都有配套产业。像罗桑家一样，全国已经有1000万贫困人口进行了易地搬迁。

藏历初十，祈福的日子。

随风起舞的五彩经幡，寄托着大家美好的愿望。

西藏自治区扎西岗村　第一书记　洛措：

我希望他们将来过上的日子是衣食无忧，希望他们的生活越来越美好，越来越富裕，那个时候我就更放心一点。

这五年，每一个脱贫百姓身后，都有如此精准细密的工作。

习近平总书记：

我们在抓扶贫的时候，切忌喊大口号，也不要定那些好高骛远的目标。扶贫攻坚就是要实事求是，因地制宜，分类指导，精准扶贫。

这五年，全国14个集中连片特困地区，习近平总书记都已走遍。贫困人口脱贫是他最关注的工作之一。

老乡：

总书记好啊。

习近平总书记：

希望看到你们的生活越过越好，党和政府都关心你们。

老乡：

我们谢谢政府！

习近平总书记：

撸起袖子加油干！

扶贫攻坚，全社会的智慧和力量都被调动起来。

财政扶贫，国家设立了财政专项扶贫资金，仅2017年就超过860亿元。

交通扶贫，中国农村公路通车总里程已达396万公里，99.9%的乡镇都已通车。

水利扶贫，贫困地区1亿多人口饮水安全问题得到解决，农村自来水普及率提高到70%。

旅游扶贫，金融扶贫，教育扶贫，电商扶贫。上千万贫困户走上了创富路。

积土成山，积水成渊。这场艰苦的攻坚战，还有全国17.68万个党政机关、企事业单位，34300多家民营企业参与，他们结对帮扶的对象，覆盖了全国所有贫困村。

"中国最贫困人口的脱贫规模举世瞩目，速度之快绝无仅有。"这是来自联合国开发计划署前署长海伦·克拉克的盛赞。这五年，中国每年减贫1391万人。

消除贫困、共同富裕，中国正在践行着国家制度的本质要求，这宏大誓愿，是人类历史上温暖的一页。

五年间，中国朝着更长远的社会协调发展迈出了关键一步。农村绝不能成为荒芜的农村、留守的农村、记忆中的故园。让工业反哺农业、城市支持农村，成为了中国长期坚持的原则。

木渎，苏州城外的千年古镇。

中国城乡统筹画卷中的一道风景。

苏州绿的谐波公司　技术主管　李柄华：

我叫李柄华，今年36岁了，从小在太湖边长大，家里祖辈都是农民。

五年前，我是生产线上的操作工，现在，我管着150多名操作工。

我和我的同事们，从上到下，大多来自木渎镇周边的农村。但我们现在，干的却是机器人关键零部件的制造。我们制造的谐波减速机中国第一，世界第二。

这是制造机器人的核心零部件,占到机器人成本的35%。

这家企业,是镇上引来的"金凤凰",像这样的高新技术企业,这五年木渎镇总共引进了69家。镇上和周边农村的近6000名农民,现在已是现代制造领域优秀的产业工人。

苏州绿的谐波公司　技术主管　李柄华：

像我们一样,从小都是农民出身的,但是现在可以制造生产如此一个高精密、跟世界上一流的公司去竞争的这样一种产品,对大家来说,本身就是一种很高的自豪感。

厂子准备扩建,帮忙选址的,是镇上负责招商引资的顾雪峰。他的工作就是让木渎的产业协调发展,引进适合当地的新产业。

顾雪峰,苏州人,五年前他卖掉了城里的房子,举家迁到这里,彻底成为"新木渎人"。吸引他的,是木渎对人才、资金、技术的渴求,而生活环境又和城市大不相同。

木渎金桥开发区　管委会书记　顾雪峰：

我们这边有句话叫"姑苏繁华图,一半在木渎"。

每次客商来,顾雪峰都要请他们来听评弹。

这里的城镇化率达到81%,人均收入甚至超过了苏州城区。中国农村居民收入增速已经连续7年高于城镇居民。

城乡一体化发展,正改变着这个农业大国历史上的城乡二元结构。

木渎金桥开发区　管委会书记　顾雪峰：

木渎是一个海纳百川的地方,你能在这个地方找到你发挥才能的平台，政府也愿意把这些机会让新木渎人来做。习总书记说叫撸起袖子加油干，这种号召落到我们自己的行动上，国家现在是处于一个好时代，对我来讲这也是赶上了一个好时代。

越来越多的城里人落户木渎，城市的公共服务也在向这里延伸，改变着木渎人的生活。

李柄华的父母，今天来到镇上的便民服务中心，办理他们人生中第一本护照。

李柄华的父亲　李全官：

我儿子挺有孝心的，想让我们到外国去玩一玩，现在说实话有了便民服务站，挺方便，确实挺方便。

将行政审批下放到镇级，在家门口就能办理护照，这是中国城乡统筹发展的重要创新。无论是户籍、社保，还是企业办税，原先涉及十多个部门的114项公共服务，现在都能一站式办理。

五年前难以想象的幸福，今天已经可以尽情拥抱。连接苏州市区的高架路和新修建的两条轻轨，让木渎变成了苏州人最爱的后花园。

工友家的鱼塘农家乐，是李柄华周末最喜欢来的地方。小渔船、大闸蟹，都是家乡原本的味道。

苏州绿的谐波公司　技术主管　李柄华：

我们这个镇里，既有城市的一切，更有乡村的味道，生活在这里我感觉很满足。

城市与乡村共存，创业与乡愁同在，现代与传统交融，人与自然共生，木渎镇只是当今中国社会的一个缩影。

互补，融合。中国已提出到 2020 年培育 1000 个各具优势、富有活力的特色小镇。它们将是推进城乡一体化的突破口，将是新型城镇化的试验田，它们释放巨大需求潜力，将为我国经济持续健康发展注入强大新动能。

中国，幅员辽阔。从高山到平原，从陆地到海洋，自然禀赋的不同，造就了巨大的地域差异。如何让羸弱变得强壮，中国有着自信的方案，这就是跨区域结对帮扶。

贺兰山东麓，千年戈壁荒滩。但如今，这里已经建成一片绿洲。

贺兰神葡萄酒庄　董事长　陈德启：

这两边的树已经种了九年了，像这种大树我已经种了 500 多万棵了，这五万亩已经变成绿洲。

我叫陈德启，来自晋江的闽商，我来宁夏种葡萄有十年了。这戈壁滩原来就是一片荒地，可以说是不毛之地，这边又干旱没有水，所以说就没有人去开发这片土地。

我就喜欢这个地方土地的味道，就是从来没有开垦过的，一种清香味。这个地方的纬度，是跟法国一样的，（北纬）38.5 度，这个地方能种出最好的葡萄，能酿出最好的红酒。

习总书记就说，要号召福建这些闽商来这边发展，来宁夏，来闽宁镇合作，我是 2007 年来的，那个时候来就看上这片土地了。

初次见到这片土地，陈德启只用了 15 分钟就作出人生中最重要的一个决定：投资 2 亿元修建葡萄园。

那一年，中国东部发达省、市对口帮扶中西部欠发达省区的合作，进入第十个年头。福建提出的优势互补、互惠互利的"闽宁模式"，已经将 5600 家福建企业、800 亿资金带到了这里。

这五年，闽宁镇上更热闹了。

每天早上六点，原隆村的村民们，要坐上班车到葡萄园上班。这个移民新村里有 1 万多居民，都是 2012 年从宁夏最贫困的山区整村搬迁来的。

宁夏回族自治区原隆村　村民：

我叫毛琪。

我叫姚爱军，在葡萄园也工作了四五年了。

夫妻俩搬迁前家住固原，只有五亩地，年收入不到 1 万元。如今在葡萄园，两口子每个月都能挣 6000 多元。

宁夏回族自治区原隆村　村民　毛琪：

我们在老家那边山大沟深的，有时候一年苦着下来连肚子也吃不饱。现在生活一天比一天好，没有党和政府这么好的政策，我们生活也过不到这一步，真的心里特别高兴。

从干沙滩变成金沙滩。在闽宁协作的带动下，五年来，宁夏农村居民的收入平均每年都能增长 10.7%。

贺兰神葡萄酒庄　董事长　陈德启：

离地面 40 厘米，这个就不用下架上架。

陈德启正在教工人们深沟矮种的种植技术。这项技术可以让这里的葡萄产量提高 15%。技术、资金直接注入、快速补钙，产业迅速升级，这正是东西帮扶里的中国智慧。

陈德启他们酿造的红酒，从2015年开始已经多次在国际比赛中斩获金奖。

贺兰神葡萄酒庄　董事长　陈德启：

为中国争光，红酒走出世界，让人家刮目相看，这一点我是最开心的。

优势互补，互惠互利，长期合作，共同发展。"闽宁模式"已经全面升级。

习近平总书记：

1997年我到这里，当时策划的搞了个移民吊庄工程。搞这个闽宁村，生活收入增长了几十倍，20倍，500元到现在1万多元。这个只有谁能做，只有共产党能够做，我们社会主义制度能够做，别的地方是做不成的，体现我们制度和政治的优越性。我看到你们这个生活，看到你们现在所洋溢那种幸福感，我内心也感到很欣慰，也谢谢你们做的工作，你们做的工作，给我们指出了我们可以走的一条正确的康庄大道。

与"闽宁模式"一样，东部9省、市和13个城市与西部10个省、区、市结成对子，实现了对30个民族自治州的帮扶全覆盖。

这是推动区域协调发展、协同发展、共同发展的大战略，是加强区域合作、优化产业布局的大手笔，是先富帮后富、最终实现共同富裕目标的大举措。

许多国外学者认为，这是中国为人类探索更好社会制度提供的中国方案，也是当今世界最为生动的中国故事。

培植后发区域的独特优势，这又是中国缩小区域差距的一项新措施。最近五年，找准主体功能区定位、焕发内生活力的奇迹，不断在中华大地上诞生。

贵阳，市中心附近的黔灵山，每天市民们都会来这里喂养猕猴。这些大自然的生灵，是绿色资源丰富的标志之一。

寸土寸金的市中心，保留着5500多亩的生态湿地。

像这样的城市天然氧吧，贵阳市区有400多处，未来还将达到1000处。森林覆盖率46.5%的贵阳，现在不仅是国际知名的生态城、旅游城，更是全球大数据产业的聚集地。

高海拔、低气温、低电价，成就了贵阳"天然机房"的独有优势。大数据给这座城市带来的创新改变，山东来的货车司机陈怀敏最有体会。

货车司机　陈怀敏：

我是9.6米的车，这个能给多少钱？

这次来贵阳，他不用再像以前到处跑物流园找货了。

按照大数据系统提供的信息，陈怀敏很快就敲定了一笔16吨电缆的运货单。

货车司机　陈怀敏：

跑货车两年了，跑云南、贵州、四川那边的。卸完货，装上货之后我要去赶时间，送到了之后然后还要抓紧时间配货，还要继续往前走，不用去盲目地找了。货源在手机上，几十家、几百家、几千家都有的是。只要你付出了，努力了，做到了，这个钱还是有的赚。

长途货运司机,90%都是个体户。车找货、货找车一直是中国物流业乃至全球物流业的痛点。创业者罗鹏的努力目标,就是让货主和司机轻松找到彼此。

贵阳货车帮公司　员工:

师傅,在找货?您下来我帮您找呗。

现在他们的创业平台上,全国300多万货车司机通过大数据找到货源。

贵阳货车帮公司　总裁　罗鹏:

贵阳给了我们去发展大数据的机会和环境,贵阳这样一个极具活力的城市,孕育了货车帮这样的一群企业。

现在,一批从事数据清洗、加工、分析和应用开发的大数据企业,正在贵阳蓬勃生长。

贵安新区,是五年来中国划定的15个国家级新区之一。这里将成为连接世界的窗口。

凯拉什,大数据服务商,一年前从印度来到贵阳工作。

贵阳聚盟科技　运营总监　凯拉什:

贵阳对大数据产业非常重视,觉得这边肯定大量需要大数据领域的人才,所以来到贵阳之后,被这里大数据蓬勃发展的氛围所感染。

来自世界各地的15000名选手,享受着这座活力四射的城市。

越来越国际化的贵阳,正成为西南地区新的中心城市。

绽放内生动力光彩的中心城市，不只这一座。

千年古蜀文化融入新理念，天府新区打造西部经济中心，一个绿色低碳的成都，正在长大。

长株潭并入新长沙，一座创意之都正在湘江两岸崛起。

大湖名城同样在塑造创新高地，从机器人到新能源，从健康产业到文化旅游，古老的合肥想变成最时髦的城市。

承东启西的郑州，建起了超级交通枢纽，这里已经是中原大地直通全球的中心。

西子湖畔的杭州，向世界展示了古典之美与现代之光，杭州点击鼠标，联通的将是整个世界。

中国经济版图上，已经有12座城市跻身全球"GDP万亿俱乐部"之列，而中国传统的省域经济，也开始向中心城市群经济转变。

这些城市群，都已经是中国新的区域增长极。

不谋全局者，不足谋一域。广袤的山水间，"全国一盘棋"的经济社会发展新蓝图正在被勾勒。西部开发、东北振兴、中部崛起、东部率先，四大板块协调发展、协同发展、共同发展的战略进一步推进。

打破传统的界限，消除行政的藩篱。2016年9月，《长江经济带发展规划纲要》公布，九省两市，约6亿人口，被聚合成了一个整体。这是中国经济增长潜力最大的区域之一，也是目前世界上可开发规模最大、影响范围最广的内河经济带。

长江江豚，嘴角挂着微笑的精灵，数量比大熊猫还要稀少，是长江生态最重要的指标生物。

这是江西、湖北、湖南、安徽、江苏五省的一次跨区域联合迁徙行动，可以避免江豚长期在一地繁衍导致的生病或死亡。

长江江豚种群数量这两年下降趋势已经明显缓解，这是长江水质持续改善的信号。短短三年，长江Ⅳ类以下水的比例从13.8%下降到10.6%。长江经济带的森林覆盖率更是达到了41.5%，超过全国平均水平近20个百分点。

共抓大保护，不搞大开发，全流域协同行动的成效，这两年不断出现在李巍的镜头里。

《长江日报》 摄影记者　李巍：

现在进港的就是中三角省际集装箱公共班轮，已经开了有半年了。

过去长江各流域分段管理，"九龙治水"的局面正在被打破。这条湖南、湖北、江西三省共同规划开通的公共班轮一周四班，像公共汽车一样准点发车。

在全流域统筹引导产业布局，打开了长江经济带持续增长的新空间。一大批企业已经从长三角沿江而上。

这是上海的一家汽车制造企业建在武汉的生产基地，现代化的车间里，平均每天有1300辆汽车下线。这些汽车将销往长江上游地区。

汽车滚装码头刚刚建成两年。四层高的滚装船，一次能装运1000辆汽车。制造基地的上移，不仅节约了运输成本，而且与市场的连接更加紧密。

长江经济带正在贯通。沿江11省、市参加，覆盖全流域的长江经济带省际协商合作机制已经建立。

"北京吃太饱，天津吃不饱，河北吃不着"，这是百姓对京津冀发展的形象描述。

打破"一亩三分地"的思维定式，将京津冀协同发展上升为国家战略，实现优势互补、互利共赢，这又是推进持续协调发展的一大创举。

来自全国各地的大货车正排队进入中国单体规模最大的农副产品批发市场。

而两年前，他们要再向北奔行56公里，进入首都北京。

河北新发地集团　商户　孙永彬：

老王，把车打开就行了。

顾客：

优惠点呗。

河北新发地集团　商户　孙永彬：

直接定3.6元了。

孙永彬，人称"豆角大王"。20年前，从老家石家庄把豆角卖到北京。两年前，他又从北京搬回到河北。

孙永彬忙着给东北客户装车。在这儿雇用平板车，每次运费30元，比北京便宜了40%。搬迁到这里，老孙再不用担心会堵车。

河北新发地集团　商户　孙永彬：

采购商有在我们这里采购的，有在北京采购的，在我们这里采购的回家以后都卖完货,钱都挣到手了,一问他那个同行,说告诉我还在北京新发地堵着呢,还没出来呢。

北京常住人口已经超过2100万。求解"大城市病",京津冀协同发展战略提出要把北京的非首都功能转移出去。作为农批产业第一个疏解项目,新发地落户到了要重点打造物流业、运输业的河北。这只是北京疏解出的228家商品交易市场之一。

河北新发地集团 副总裁 魏树俭:

我刚来的时候,这还是一片荒郊野地呢。现在这些商户全部过来了,每天往园区里边转转,我感到心里边特别踏实。

搬迁到这里来的,除了新发地,还有北京其他几家批发市场的8000多家商户。一期面积就相当于6个"鸟巢"(国家体育场)。正在启动的二期,规模还要大5倍。未来五年,这里将建成全球最大的菜市场。

河北新发地集团 商户 孙永彬:

原来在北京卖豆角,就是服务首都人民,从来这个市场以后,不光是服务首都人民了,还服务全国人民,我在全球最大的菜市场卖菜,我很骄傲。

制冰厂门口,14辆卡车正等待运货。这里每天生产2000多吨冰块,远远不能满足现在的需求。

一路之隔,一个50万吨的冷库集群已经破土动工。

河北新发地集团 董事长 米亚林:

绝对不允许拖延工期,咱们要建的就是亚洲最大的冷库群。

工地上方是京广高铁，从这里到北京仅需27分钟。

中国人的改革胆识与魄力，塑造着这个经济新高地。

北京的文化和科技，天津的金融和新制造，河北的现代商贸和物流，定位、优势完全不同。

京昆高速、津保城际铁路、北京新机场，1小时通勤圈初步形成，13908亿元构筑起三地交通一体化的立体骨架。

2016年京津冀经济增速达到7.5%，经济规模占全国的10%，已经成为拉动中国经济发展的重要引擎。

京津冀城市的变化，也被人们记录着。

摄影师　宋小楠：

我叫宋小楠，是一名建筑设计师，我最大的爱好是用影像记录城市的变迁。

宋小楠这五年，一直用延时影像记录着天津的巨变。

摄影师　宋小楠：

有的时候觉得，就是我拍片的速度，可能赶不上城市更新的速度。天津作为中国北方的一个非常重要的一座城市，能在今天变成这样一个样子，并且它是我的家乡，我觉得可能不输给世界上的任何城市。我为我的祖国感到自豪。

2017年4月，雄安新区正式设立。

宋小楠，准备开始一个新的影像计划，用十年时间，记录新雄安。

摄影师　宋小楠：

我现在是在雄安新区，在白洋淀的一条船上，雄安这个词呢，现在已经成为一个网络的热词，因为在这片土地上，将要诞生一个伟大的城市，中国又将在世界上创造一个伟大的奇迹。我希望用我的镜头，记录下来这里的变迁，我觉得这应该是一件非常幸福的事。

（上世纪）80年代看深圳，（上世纪）90年代看浦东。今天的中国，看雄安。

雄安的身上，承载着中国的千年大计、国家大事。

习近平总书记：

雄安新区，将是我们留给子孙后代的历史遗产。必须坚持世界眼光、国际标准、中国特色、高点定位的理念，努力打造贯彻新发展理念的创新发展示范区。

一个经济社会新的增长极，正在华北大地徐徐展开。

中国，正站在新的历史起点，规划版图、谋划未来。

统筹协调，补齐短板，携手共进，行稳致远。

独有的制度优势正在打破经济发展的"魔咒"，大手笔的顶层设计正在规划出中国发展的崭新空间。

中国正在克服一个个困难，创造一个个奇迹。

这是中国制度带来的自信，这是中国特色书写的传奇！

成就数据：

中国每年减贫1391万人。

世界万亿GDP城市，中国已占12席。

东西帮扶，西藏、重庆、贵州GDP增速排名全国前3位。

2016年长江经济带生产总值33.3万亿元,是2012年的1.4倍。

2016年京津冀生产总值7.46万亿元,是2012年的1.3倍。

中国城镇化率57.35%,创历史新高。

第四集 绿色家园

第四集《绿色家园》完整视频

恩格斯曾说过:"我们不要过分陶醉于我们人类对自然界的胜利。对于每一次这样的胜利,自然界都对我们进行报复。"

西方的工业化进程中,中国的快速发展中,都经历了这样的报复。

面对经济增长和保护环境的矛盾不断加剧,取舍之间,考验的是决心、勇气和担当。

习近平总书记:

不以牺牲生态环境为代价换取经济的一时发展。我们提出来就是,既要金山银山,又要绿水青山。宁可要绿水青山,不要金山银山,因为绿水青山就是金山银山。

这五年,绿色发展的理念日益深入人心,建设美丽中国的行动不断升级提速。

一个天蓝、地绿、水清的大美中国,正在重回身边、重现眼前。

初夏，成群的海鸥、斑头雁、赤麻鸭，来到玛旁雍错。

海拔4500米的高原湖水依然冰冷刺骨，但鸟儿们还是要翻越崇山峻岭而来。

这里，是它们孕育新生命的家园。

不远处，就是冈仁波齐，传说中的须弥山，世界的中心。

雅鲁藏布江、印度河、萨特累季河与恒河，都从这里出发。

全世界来这里的朝圣者这两年越来越多，这里的水比其他流向的河流都更加清澈圣洁。

滋养生命的轮回之水，并不会因沐浴洗礼而变得浑浊。

玛旁雍错是中国目前实测透明度最大的湖。

保持好水质的秘密，就在这些守护者的身上。

旺杰和巴姆，每个周末都要来湖边观察记录鸟类的状况。

西藏自治区普兰县　野生动物保护员　贡桑巴姆：

3、6、9、12……

被称为"地球之肾"的湿地，是物种贮存、气候调节不可替代的一种生态系统。能成为湿地保护员，旺杰和巴姆觉得很骄傲。

西藏自治区普兰县　野生动物保护员　贡桑巴姆：

斑头雁和海鸥越来越多了，都增加了100多只，赤麻鸭等数量也在增加。

这个季节，巴姆还要认真巡查河沟边的浅滩，抢救搁浅的高原裸鲤。

这是西藏特有的一种淡水鱼，也是高原湿地生态链上关键的一环。水生植物和藻类的生长靠它来平衡，水鸟栖息也要以它为食。巴姆他们重塑生态，就从鱼开始。

建设天蓝、地绿、水清的美丽中国，必须实施重大生态修复工程，增强生态产品的生产能力。这些都被国家写进了2013年实施的《湿地保护管理规定》。

每周监测到的鸟类数据，巴姆都会第一时间到林业局的保护站备案。

这些数据最终都会汇总到日益完善的全国生态环境监测网。

生态文明建设第一次被纳入国家发展战略，巴姆相信自己做的每一条记录都会很有价值。

家里的牧场迁到了湿地保护区外，虽然每天要赶着羊群走10公里，但巴姆还是很高兴，她家为此还拿到了草原生态奖励补助，家里的日子更好了。

五年来这里有3万多头牛羊退出，肥沃的水草地，现在是野生动物的天堂。

多年罕见的黑颈鹤来这里筑巢了。

这种西藏的吉祥鸟，是高原生态的标志性物种，只有生态足够好，它们才能存活。

今年，又有100多只黑颈鹤在这里安了家。

自然休养、生态补偿，更加尊重自然规律的保护方法，守护着这片世界上海拔最高的湿地和国际水源地。

中国的湿地自然保护区已经从五年前的553个增加到602个，全国性的湿地保护体系初见规模。

生命永续的奇迹正在这里不断发生。

西藏自治区普兰县林业局　副局长　才旺丹加：

在那个山沟沟里面来了300多只，这区域藏羚羊多得很，如果它们觉得很安全，它们才会过219国道。

普兰县林业局的丹加，正在219国道上守护藏羚羊。

夏季来临，羊群要迁徙到水草丰美的地方生下小羊羔，这里是它们的必经之路。

确保每一只藏羚羊顺利穿越国道，这项工作已经坚持了五年。

根据监测到的信息，一群藏羚羊正向国道方向靠近。

西藏自治区普兰县林业局　副局长　才旺丹加：

我们是县林业局的，你们虽然是想拍这个雪，但是你看藏羚羊都吓跑了。这一带不是看到那个牌子了吗，藏羚羊保护区那个，所以就不能下来。

快速帮助抛锚的汽车离开，丹加他们很有经验了，游客们也很理解。

人与动物怎样和谐共处，大家的观念现在变了。

西藏自治区普兰县林业局　副局长　才旺丹加：

近几年基本上没发生过那种人类去捕猎、偷猎，没发现过那种案子，我很自豪。

藏羚羊曾一度遭到捕猎，最严重的时候数量从100万只下降到7万只，现在这里已经恢复到20多万只。

回归的不仅是藏羚羊。

这五年，中国85%的野生动物种群、65%的高等植物群落都得到了有效保护。

绿色，让生命跳动。

巴音布鲁克草原上，曾一度面临退化危机的草场正在变绿。这里出现了一个天鹅湖。繁殖季节，又有100多只小天鹅在这里出生。

青藏高原腹地，7200多名牧民组成的专职管护员守护的三江源，雪豹、猞猁这些高原精灵又回来了。长江、黄河、澜沧江流淌过的这片土地，水资源量增加84亿立方米、湿地面积增加104平方公里。

长白山珲春的森林里，远红外相机捕捉到一只成年东北豹带着幼豹活动的影像，这种极度濒危的大型猫科动物，在全球都已经极为罕见。

秦岭山脉，野生大熊猫的乐园。300多只野生大熊猫在这里生活，人们在这里发现了目前全球唯一一只野生棕色大熊猫。

大熊猫国家公园、东北虎豹国家公园体制试点，正式设立。

美丽的南海，全球存活率不足千分之一的小海龟，被悉心呵护。这种海洋活化石，是海洋与陆地生态联系的重要纽带。长达半年的喂养可以让它们免受天敌侵害，之后要回归大海。

万物各得其和以生，各得其养以成。

尊重自然、顺应自然、保护自然，生态修复已经开始从陆地向海洋拓展。

五到八月，中国南海的休渔期，也是海洋鱼类繁育和幼鱼生长的重要时间。

三沙航迹珊瑚礁保护研究所　　所长　傅亮：

138船和158船全体注意！现在起航！

傅亮带领珊瑚礁研究团队，第26次向南海岛礁进发。

南海江豚。这两年出海，常常会有它们相伴。

南海是世界第三大陆缘海，有着极为珍贵完整的珊瑚礁生态。

这是西沙群岛最北边的一座暗礁，面积50多平方公里。

珊瑚礁是生态修复的重要标志。

健康的珊瑚礁可以吸收90%的海浪冲击力，是海岸线的天然屏障，护佑着靠海而居、依海而生的百姓。

如何让中国的海洋拥有持续不断的再生能力，重塑珊瑚礁生态，正是傅亮他们工作的意义。

三沙航迹珊瑚礁保护研究所　　所长　傅亮：

我们首先要把珊瑚礁的覆盖率搞清楚，有什么样的病害，新生珊瑚有多少，如果出现了一些破坏，是一个什么原因。

由于海水升温、海水酸化、过度捕捞，全球的珊瑚礁目前都在急速退化。

美丽的珊瑚礁，还是生命孕育的温床，超过四分之一的海洋生物必须靠珊瑚礁栖息繁衍。

中国的目标，是要让海底这片"热带雨林"重新变得摇曳多姿。

下潜的科考员，正在将钢材、聚合材料、软硬网格，这些可以帮助礁盘附着生长的材料固定在沙化的海底。

三沙航迹珊瑚礁保护研究所　所长　傅亮：

人和大自然比，力量是很小的，但是我们可以顺应自然的力量，只要我们好好保护，我相信五年到十年这样的一个过程中间，（珊瑚礁）它还会往好的方向发展。

作为海洋大国，保护、建设300万平方公里的蓝色国土，中国的海洋强国战略已经启动。

最近五年中国修复海洋生态总投入超过1100亿元。

渤海，陆海统筹、河海兼顾，这里重新建起了海洋生态链。

黄海，划定生态红线区，2020年红线区内排放将100%达标。

东海，伏季休渔，五年前"东海无鱼"的困境已经不在。

全国近岸海域水质优良比例，五年来从62.8%回升到73.4%。

中国的海洋开发方式正在向循环利用型转变。

怀有敬畏之心，对大自然友善相待，这碧海蓝天、洁净沙滩，就是它给予的最好回报与馈赠。

今天的中国，正在像保护眼睛一样保护生态环境，像对待生命一样对待生态环境。

治愈有"地球癌症"之称的荒漠化，中国走到了世界的最前面。黄河流经的最大沙漠库布齐是其中的典型样本，这里曾经是京津冀地区沙尘暴的源头之一。

现在巨大的花房里，100多种苗木等待栽种。

中国沙化土地年均缩减 1980 平方公里，提前实现了联合国 2030 年沙化土地零增长的奋斗目标。联合国环境规划署盛赞中国是全球沙漠治理的典范。

黄土高原，沟壑纵横。退耕还林还草工程，让曾经生态最脆弱、水土流失最严重的地区变绿了，陕西的绿色版图向北推进了 400 公里。

被修复的，还有这些矿山。二道江区回填的土地上，现在种上了 900 多亩人参。这些土地仅仅在五年前还因为沉降连玉米都长不出来。这只是中国五年来投入 600 亿元修复的 80 万公顷矿山中的一个。

曾经资源枯竭，现在生机盎然。

2016 年全国新增水土流失治理面积比 2012 年增长 24.5%。

生态兴则文明兴，这是中国对人类文明发展规律的清晰判断和生动实践。

生态环境没有替代品，用之不觉，失之难存。

太原人对此感受最深的，就是时时刻刻都要呼吸的空气。

为了摘掉世界十大空气污染城市的帽子，这里进行着大刀阔斧的改革。

太原　出租车司机　宋利：

你好，欢迎乘车。

乘客：

去长岛国际。

开了二十多年出租车的宋利，刚刚换上电动车。

太原　出租车司机　宋利：

政府在这个电动车（补贴）上力度非常大，在车的价位上，由 30.98 万元，给我们降到了 8.98 万元。

火车南站，太原最热闹的地方，人多、车多。

每天中午，地下停车场都会有大量出租车聚集。

这里有太原最大的电动车充电站。

将全市 8200 多辆出租车全部换成电动车，只用了不到一年的时间。

现在，太原是全世界拥有电动出租车最多的城市。

太原　出租车司机　宋利：

以前用的是燃油车，那么我们下了南站地库以后车走走停停，排放的尾气，对我们的身体是有危害的。

50 多分钟的充电时间，也是宋师傅他们的午休时间。

现在，电动车零排放，大家吃饭很放松，这是实实在在的改变和舒心。

花 10 个亿改造出租车，太原折射出的是中国发展新能源汽车的决心。

中国已经是全世界新能源汽车第一大国，销量、保有量都占到了世界的一半。超过 90 万辆新能源汽车，每年能减少 300 多万吨一氧化碳等各类污染物排放。2020 年，中国的新能源汽车将增长到 500 万辆。

太原的蓝天白云每年都在增多，这在两三年前难以想象。

宋师傅他们现在又能穿着白衬衣上班了。

太原　出租车司机　宋利：

以前穿白衬衣，半天就黑了，现在穿两天也没事。

良好的生态环境是最公平的公共产品，也是最普惠的民生福祉。

让蓝天更多，是中国正在全力推进的大工程。

河北省第二测绘院　飞行员　吴刚：

启动！

吴刚，河北省第二测绘院的飞行员，这是他今年第65次执行任务。

目标，白洋淀。

河北省第二测绘院　飞行员　吴刚：

2015年的时候我们对白洋淀进行过测绘。前两年给人的印象就是雾蒙蒙的，上去之后就感觉灰尘特别大，这两年给人的最直观的印象就是，天放晴了、蓝了，水绿了，然后给人一种豁然开朗的感觉。

从2013年开始，中国以前所未有的政策密度向污染宣战。

"大气十条""水十条""土十条"接连出台，吴刚眼中的白洋淀，仅仅是全国铁腕治污后的一个缩影。

与吴刚的直观感受一样，连续五年的遥感比对，清晰呈现了京津冀地区的空气质量变化情况。五年来这里$PM_{2.5}$浓度下降了33%。特别是北京，$PM_{2.5}$浓度三年来从每立方米169微克降到了72微克。

北京的蓝天白云正渐渐成为常态，久违的火烧云刷爆了朋友圈。

不只是京津冀,2013年到2016年,长三角PM$_{2.5}$浓度下降了31.3%,珠三角下降了31.9%,全国空气质量达标的城市从3个增加到了84个,2016年全国优良天数比例达到了78.8%。

节约资源是保护生态环境的根本之策,每个中国人都在努力成为"绿色生活"的主角。

盘子变干净了,环保袋多了,出行更环保了。

老师:

今天我们来学习一下折手绢。

小手绢又回到了孩子们身边。

把空调调高到26℃成了年轻人的时尚。

循环利用,一年能节约几十亿个快递纸箱。

变窄到8厘米,中国每年省下的胶带可以绕地球两圈半。

从盼温饱到盼环保,从求生存到求生态、绿色,已经是全社会的共识。

建设美丽中国,还要向高能耗、高污染宣战。

把城市重新放入大自然,这座千年古城想要重现于山水脉络之间的强烈愿望,是今天中国的一个缩影。

镇江,长江与京杭大运河交汇处。

这座经济发展一半要靠煤炭化工的城市,一直是长三角重要的工业基地。

镇江市区,一家化工企业开始拆迁。

江苏省丹徒经济开发区　副书记　徐江平：

注意安全！

徐江平正带领专业小组，对拆除可能出现的污染进行排查。

淘汰落后产能，这是中国供给侧结构性改革至关重要的一步，而且行动要快。

仅2016年，中国就退出钢铁产能6500万吨，退出煤炭产能2.9亿吨。

徐江平和同事们五年来一共拆掉了12个高污染化工厂。

江苏省丹徒经济开发区　副书记　徐江平：

习近平总书记说，不要带血的GDP，现在GDP的考核标准改变了，问责力度加大了，我们的每项任务、每项措施都有人抓、有人管。

按照中央部署，占全国化工业17%的江苏，划定了一条生态红线。

长江干流及主要支流岸线1公里内，严禁出现重化工园区。

镇江南山的森林公园。公园原址过去是一座水泥厂，特意保留的老厂房，记录着城市成长的历史，更标记着美丽家园新的开始。

仅淘汰落后水泥产能，镇江腾出的土地，就可以建55个这样的市民公园。

为了人民的福祉，为了民族的未来。

中央坚定的意志和决心，化作一次次行动。中央环保督查组进驻31个省、区、市，问责人数已超万人。

五年来，中国初步建立起源头严防、过程严管、后果严惩的生态环保制度框架。

更多的企业，在依靠创新驱动引领绿色发展的激励下，展开了生产流程的绿色再造。

纺织印染，大量消耗水资源。

在山东，中国自主研发的全球第一条筒子纱智能染色线正在调试。它能将每吨纱的用水量从过去的130吨压减到80吨。2016年，中国单位国内生产总值用水量比2012年下降了23.9%。

绿色转变，关键在于化工、冶炼的过程控制。

全球单体产能最大的生态铜冶炼厂里，粗铜精炼已经从原来的十几个小时缩短到一小时。比发达国家的先进冶炼技术效率还要高出1.8倍。2016年，中国单位国内生产总值能耗比2012年下降了17.9%。

电镀，全球三大污染行业之一。

福建这间工厂正在使用一种神秘的药水。用了它，将不再产生任何有害烟尘。

被国外垄断了二十年的无毒无害电镀技术，已经被中国攻克。

烹饪油烟，是$PM_{2.5}$的来源之一。

宁波这间国家级油烟实验室里，技术人员正在试验最新的五重分离技术。

现在，工程师们已经能将油烟分离率提升到98%，这是目前全球最高纪录。

保护环境，还要不断优化能源消费结构。这又是一项大工程。

中国的石油、煤炭等化石能源在能源结构中的比例曾一度高达93.8%，粗放的生产利用方式严重威胁着环境。今天的中国，正在用更多的低碳改造方式，大力调整能源结构。

青藏高原，世界上最大的光伏发电项目还在建设。27平方公里的土地上，覆盖着超过600万片太阳能电池板，它们产生的电能每天能够满足一个中型城市一年的用电需求。

在中国，现在每小时，就有一座足球场面积大小的太阳能电池板被安装上，中国已经是世界光伏第一大国。

在新疆，人们巧妙利用特殊的气候和地理条件，实现着大规模风力发电。

中国每小时就有两座风机安装到位，累计装机量已经是世界排名第二的美国的两倍。

全球风电市场，中国遥遥领先。

雅砻江畔，中国第三大水电基地建设即将收官。

工人们要用这些60米长、2吨重的锚索，像钉子一样钉入山体，确保山体的稳固。在水电建设的同时防治泥沙、保护植被。全新的建设理念下中国水电总装机突破3亿千瓦，位居世界第一。

世界十大水电站，五座在中国。

中国的输电网络，正在向更远处延伸。

高空 65 米处，工人们正在架设一条特高压输电线路，中国特高压线路总长已超过 3 万公里，这项技术中国同样世界第一。

东南沿海，中国自主研发的"华龙一号"核电站即将建成。

中国是 30 多年来世界上唯一没有间断过核电建设的国家。

"华龙一号"技术已经出口到英国、阿根廷，还有 20 多个国家提出合作意向，中国正为人类能源建设贡献力量。

工人代表：

我相信，发电的日子正在不远处等着我们。

中国已经成为世界节能和新能源利用第一大国。2016 年，水电、风电、核电和天然气等清洁能源消费所占比重已达 19.7%。

为 13 多亿人提供清洁能源，为国家可持续发展提供动力，为全球应对气候变化作出承诺。

推动能源生产和消费革命，没有哪个国家能在如此短的时间里，用如此大的魄力，去兑现绿色发展的承诺。

今天的中国人，对祖先休养生息的辩证法则，给出了新的诠释。

习近平总书记：

保护环境，就是保护生产力。改善环境，就是发展生产力。这个朴素的道理正得到越来越多的人的认同。

作为中国最大的生态建设工程，这五年来，中央对新一轮退耕还林投资累计超过 363 亿元，收获也随之而来。

大兴安岭深处，一种长相奇特的动物，在森林里穿梭。

驯鹿，鄂温克人的"林海之舟"。

这里是中国唯一生活着驯鹿的地方。

达瓦和郭芳夫妇，是这群驯鹿的主人。像祖辈一样，他们延续着饲养驯鹿和狩猎的部落生活。

每年六月，驯鹿都要离开越冬的极地森林和草原，回归主人身边。

郭芳给每一头驯鹿都取了名字，当它们是自己的孩子。担心它们被蚊虫叮咬，担心它们营养不足。

驯鹿很挑食，喜欢吃林子里新鲜的苔藓和蘑菇。

前些年林子砍伐得厉害，驯鹿吃不饱，食物不够，容易患病夭折。

内蒙古根河县鄂温克族　猎民　郭芳：

主食就是苔藓，都是吃新鲜的。生态环境改善了，禁伐了以后，我们驯鹿种群应该是一年比一年强大了。

鄂温克驯鹿现在恢复到了1000多只。

让驯鹿回归的标志，就在密林深处。

董永胜面前这根倒下的落叶松，将时间定格在2015年3月31日。

内蒙古乌力库玛林场517工队　队长　董永胜：

这就是我们最后采伐的一根木头。

从这天开始，长达63年的重点国有林区采伐历史宣告结束，中国成为世界上唯一一个全面禁止砍伐天然林的国家。

董永胜在乌力库玛林场伐木20多年，大兴安岭5亿多立方米的木材，曾为共和国发展立下汗马功劳，但再不停下来，中国将面临无林可采、无木可伐的资源危机。

内蒙古乌力库玛林场517工队　队长　董永胜：

伐了一辈子木头，刚开始说禁伐，我们真不知道自己该干点什么，现在，看着我们这个绿色森林，我们也就理解了。

停伐后的日子，反而过得更忙碌。

董永胜他们的森林主题游，吸引了很多游客。

林子里，现在比从前还热闹。

"鸡司令"王学军，原本是运木材的司机，现在是生态基地的养殖大户。

每天早上，他的500只"溜达鸡"都会这样跑进森林。

林下的昆虫，完全替代了饲料。

内蒙古乌力库玛林场绿色食材基地　饲养员　王学军：

这个鸡是100元一只，销路还行。

大兴安岭15000多名林场职工，禁伐两年多，全都找到了新的营生。

总面积83000平方公里的大兴安岭，维系着呼伦贝尔大草原和东北粮仓的生态平衡。

内蒙古萨吉气林场　瞭望员　李国征：

391（号）没事，晴天，没有风！

李国征的岗位很特殊，他和同伴要轮流站在24米高的塔上，12小时不停瞭望。

每隔一个小时，汇报一次火情。

中国北方最重要的生态安全屏障，正在重新开始呼吸。

从伐木人到护林人，李国征亲眼见证了两年来的变化。

内蒙古萨吉气林场　瞭望员　李国征：

现在一看，这一片林海，心里非常舒服。

封山育林、人工造林，多重的修复办法，维护着国家森林生态安全。

塞罕坝，创造荒原变林海奇迹的地方。112万亩林海，这是世界上最大的人工林。

坝上三代人，不间断地植树造林，用55年筑起的这道绿色屏障，为华北平原挡风遮沙、涵养水源。

全国动员，全民植树，近五年新造人工林4.47亿亩，比五年前增长了21.3%。中国人工林总面积已达10.4亿亩，位居全球之首。

习近平总书记：

要建立绿色屏障，人们都应该生活在绿荫之中，这些是我们努力的方向，一年接着一年干，一代接着一代干，撸起袖子加油干。

从东北大小兴安岭，到西南横断山脉，每年造林1亿亩的速度，正让中国成为全世界森林资源增长最快的国家。从纯消耗到净增长，这是质的飞跃。

在国土空间分类管制的新理念中，中国制定了3条红线，生态功能的保障基线、环境质量的安全底线、自然资源的利用上线，它们在全国一张图上被清晰勾勒。"山水林田湖草"作为生命共同体，终于不再被人为割裂开来。

生态红线，第一次作为中华民族繁衍生息和永续发展的生命线被提出。

一个山明水秀的美丽中国，也在大地、蓝天、河流的点滴变化中，越来越近。

六月，千岛湖上游的下姜村，迎来了今年的旅游节。

游客们来了，村支书姜银祥却很紧张，村里这条河道他要负责维护。

姜银祥三年前被任命为下姜村河段的河长，保护千岛湖的水源。

像他一样，从2014年开始，全国所有省、区、市的各级党政负责人，都要成为河长，把中国的大江小河管起来。

浙江省淳安县下姜村　村支部书记、河长　姜银祥：

责任是很重大的，压力也是很大的，我们现在这个水清清爽爽。

枫树岭水库开闸放水。定期释放生态水源，让枫林港河始终保持着自然清澈的样貌。

姜银祥家，也准备开门迎客。

这些照片，记录着下姜村生态建设的全过程，绿色发展的理念在这里萌芽，在这里坚守。

习近平总书记视察了下姜村。

浙江省淳安县下姜村　村支部书记、河长　姜银祥：

我们按照习总书记对我们的教导，我们就是把我们的青山、把我们的绿水保护好。我们下姜村现在是青山绿水、蓝天白云，以这个资源来发展我们下姜村的经济。

绿水青山环绕下，原来的贫困村，现在是人均收入22000元的"绿富美"。

枫林港河，奔流五十公里，汇入千岛湖。

这些年，千岛湖一直保持着I类水质。

依山傍水，环湖骑行，如同置身山水画中。

在绿色中徜徉，在绿色中找到希望。

绿水青山就是金山银山。

安吉余村，就是这一发展理念的诞生地。

习近平总书记：

一定不要说再想着走老路，还是迷恋着过去的那种发展模式，绿水青山就是金山银山，我们过去讲既要绿水青山、又要金山银山，实际上绿水青山就是金山银山。

这个春天，胡青宇家的新房建成了。

村里现在都是小洋楼，不过大家还是喜欢放一根木房梁。

"屋顶有梁，家中有粮"。

作为家里的长子，胡青宇负责抛梁。

象征着兴隆的粽子、糖果，抢的人越多，日子就越美满。

新房是用来扩大农家乐的。

村里最多的时候一天有8000多名游客住宿。

浙江省安吉县余村　村民　胡青宇：

我们余村，有山有水，山变青了，水变绿了，游客也多了。

荷花山开春第一漂。

这是胡青宇的创业项目。

游客：

水大，干净，很刺激！

沿途的田园风光，美得醉人。

胡青宇的漂流项目每年都能接待5万多游客，去年他家挣了220万元。

这座山，是胡青宇小时候常来的地方。

上一代余村人做矿工，山里还能找到以前的矿洞。

儿时的记忆里，整座山都是黑的。

胡青宇是八年前回来的，矿山关停，青山回来了，安吉成为中国第一个生态县，还拿到了联合国的人居奖。

记忆中最脏最穷的鲁家村，现在观光小火车穿行，像童话里一样。

胡青宇和童年的小伙伴叶兢君，常常到这里休闲玩耍。

叶兢君，三年前大学毕业回到家乡。

现在的安吉，年轻人都愿意留下来发展，这里有他们忙不完的事业。

浙江省安吉县黄杜村　茶农　叶兢君：

这是一芽二叶，要把这个瓣掉。

叶兢君小时候，家里产的茶连自己都不喝，但现在的茶山，青山绿水，茶叶质量越来越好。

安吉17万亩茶园，每到采摘季都需要上万人一起工作。

浙江省安吉县黄杜村　茶农　叶鋽君：

这不仅是一片绿叶子，在我们心目当中，它就是一片金叶子，你看这里全都是金叶子。

安吉白茶市场的长街，已经是浙江的一道风景。这里年产值超过22亿元，每家茶农的年收入都超过了20万元，是十年前的10倍。

从靠山吃山，到养山富山，守住青山绿水，就守住了最好的资源。

在这绿水青山碑前，拍一张全村人的全家福。

望得见山水，看得见希望。

乡愁，就是安安稳稳的幸福。

为子孙，为万世，许下大美山川。

习近平总书记：

我希望全中国都能够蓝天常在、青山常在、绿水常在，让孩子们都生活在良好的生态环境之中，这也是中国梦中很重要的内容。

环境就是民生，青山就是美丽，蓝天也是幸福。

迈进生态文明的新时代，我们世代繁衍生息的家园正在成为一个天蓝、地绿、水净的大美中国！

成就数据：

沙化土地年均缩减1980平方公里，世界贡献第一。

中国人工林面积10.4亿亩，世界第一。

可再生能源装机容量 5.7 亿千瓦，世界第一。

劣五类水从 10.9% 下降到 8.6%。

万元 GDP 能耗从 2012 年的 0.83 吨标准煤下降到 2016 年的 0.68 吨标准煤。

第五集 共享小康

第五集《共享小康》完整视频

源于《诗经》的小康,是古代思想家描绘的社会理想,是中国百姓对安定、幸福生活的恒久守望。

今天,百姓对小康生活已经有了新的期待。

习近平总书记:

我们的人民热爱生活,期盼有更好的教育、更稳定的工作、更满意的收入、更可靠的社会保障、更高水平的医疗卫生服务、更舒适的居住条件、更优美的环境,期盼着孩子们能成长得更好、工作得更好、生活得更好。

牢牢把握人民群众对美好生活的向往,决胜全面建成小康社会。这五年,一大批民生工程正在惠及全体人民。

中国,正在让13多亿人民拥有看得见、摸得着的获得感、幸福感。

梯田,可以和长城媲美的宏伟人造工程。

花田乡的祖先们,在这片地貌并不理想的丘陵上开垦水稻田，养育了五十几代子孙。

小满前后，开秧祭祀，土家族人的传统，祈求风调雨顺。

花田乡何家岩村　村民　冉红兵：

我叫冉红兵，我是花田种贡米的传人，今天我们正式开秧门了。（下雨）今年象征着我们的好收成！

插秧了，要得。

花田贡米的历史，可以追溯到1000多年前。

冉红兵这一代，其实已经不用看着老天的脸色吃饭了，因为他们种下的，是完全不一样的高品质稻米。

花田乡何家岩村　村民　冉红兵：

关键的是这种子选得非常好，它是40多品种当中，精选出来的这一种。

民以食为天，"吃"是中国人的头等大事，是衡量小康的第一指标。

13多亿人每天要吃掉150多万吨粮食。做到手中有粮，任何时候都不能放松。

这些"超级稻"，让中国粮食产量连续四年超过12000亿斤，这是世界罕见的奇迹。

有了稳定供应，像花田乡这样的传统粮食基地，开始为种出含金量更高的大米而努力。中国粮食既要有高产量，更要有高质量。

现在，精选稻种，每一垄都是希望。

花田乡何家岩村　村民　冉红兵：

我们把十几垄都种上它，因为它每一垄稻子都有一定的产量，所以说非常划算。

花田乡何家岩村　村民　冉红兵：

颗粒非常饱满，金黄色的。

习主席的政策，对我们的帮助特别大，现在这个米我们已经卖到了（一斤）12元。

冉红兵的账本上，记着卖米的每一笔收入。

花田米，在市场上又是紧俏货了。

花田乡何家岩村　村民　冉红兵：

2016年9月22号卖大谷300斤1050元，你看我这有一天卖了1300斤，就卖了4550元。这个（存折）十几万元，很高兴，特别高兴。因为一天有4000多元的收入，那能不高兴吗？我为什么不存在存折里，怕我儿子取我的，因为他知道我的账号。

600公里外，87岁的袁隆平，正带领团队进行新种苗试验。

强国必先强农，强农必先强种。中国新的农业战略，正在这些种苗里生根发芽。

袁隆平，已经带出了上万名育种研究员，现在，中国从事育种的科研机构数量是全世界最多的。

填满肚子吃饱饭，曾是困扰中国上千年的民生难题。今天，中国人更在意的是如何吃好。

中国工程院　院士　袁隆平：

我们在上个世纪主要是解决温饱问题，以产量为主，品质放在后面。现在生活水平提高了，大家不满足于吃饱，他还要吃好，所以说我们也做了战略调整，既要高产也要优质。

我想我今年 87 岁，我在 90 岁前要实现（每公顷产量） 17 吨，然后，如果身体好，要向每公顷 18 吨攻关进军。我们现在正在攀新高峰，这是习近平总书记勉励我的、鼓励我的，对我来讲的话既是勉励，也是鞭策，但是也是压力。

田地，始终是中国人的命脉。

传统农业大国里百姓的获得感，要从这田地里来。

如何用不到世界 1/10 的耕地养育好占世界近 1/5 的人口，这几年国家下足了功夫。

每年 3 万亿元的投入，正全面装备中国现代农业。

新疆，西红柿正在丰收，全世界每 4 瓶番茄酱就有 1 瓶来自这里。

大型棉花播种机平均每台每天播种 300 亩，这是全球最快的棉田播种速度。

"科技北大仓"，五年来，成为中国现代农业的风向标，这里的粮食年产量超过 300 亿公斤，绿色、安全，可以满足 1 亿人一年的需求。

这台世界一流水平的无人拖拉机，正通过北斗卫星导航，自动计算耕地路线并规划作业流程。

山东，这些农民兄弟，正用无人机为上万亩小麦喷洒肥料。

今天的中国，彻底告别了吃不饱的历史。

今天的中国人，实实在在地过上了好日子。

好日子，是充盈的米袋子、菜篮子。蔬菜、水果，肉禽蛋，水产品，中国的产量全都是世界第一。

好日子，是营养健康、价格不贵。物价涨幅连续四年保持在3%以下，充足的供应是百姓安心的前提。

好日子，是有滋有味，自在舒心。

但好日子，也是金贵的。

尤其是在并不太平的当今世界，享有一份安全感更是一种"奢侈品"。

苏州市公安局　民警　汤蒨：

我叫汤蒨，我是一名社区民警。

苏州市公安局　民警　张顶峰：

我叫张顶峰，我是一名刑警。

苏州市公安局　民警　钟聪：

我叫钟聪，我是一名研判民警。

刚刚这个报案，受害人被网络诈骗了1000多万元。

苏州市公安局　民警　钟聪：

就是最后这5个农行卡账户是吧？

把这5个账户全部止付。

小徐，把这个电话号码纳入拦截黑名单。

冻结账户，锁定目标。

钟聪处理的案件，会实时反馈到这里。

全市警情都在这里汇聚。

屏幕上显示的是全市范围内的摄像头。

中国已经建成世界上最大的视频监控网，视频镜头超过

2000万个，这个叫作"中国天网"的大工程，是守护百姓的眼睛。

苏州市公安局　民警　钟聪：

我们的路面监控覆盖率已经相当高，比如说发生一个违法犯罪警情，我们可以根据我们的需要，调整到他身上的某一个我们需要的一个点位。

钟聪的任务，就是根据这些信息，研判可能会诱发犯罪的蛛丝马迹。

利用人工智能和大数据进行警务预测，在中国不仅全面普及，而且水平位居世界前列。

苏州市公安局　民警　钟聪：

这个是属于立体化社会治安防控体系，这种科技手段，犯罪分子是无处遁形。

汤蒨、钟聪和张顶峰，组成的跨部门小组，专门针对互联网犯罪行动。

消灭虚拟世界的罪恶，这是一个新的世界难题。

但中国公安不仅有基于大数据的"最强大脑"，还有协同办案的丰富实战经验。

走访社区，汤蒨的强项。在她的手机里，这座城市每栋楼、每套房子都有数据模型，配合水、电流量，如果信息异常，系统就会预警。

苏州市公安局　民警　汤蒨：

阿姨你也别心急，你慢慢跟我讲，这个骗子是怎么联系上你的呢？

苏州市民：

他说我的身份和洗黑钱有关系。

应用高科技维护治安，是构筑安全大网的利器。

根据汤蒨提供的线索和钟聪作出的分析，张顶峰迅速行动。

苏州市公安局　民警　张顶峰：

警察！不许动。

苏州市公安局　民警　张顶峰：

现在也是地球村，有句话叫犯我人民者，虽远必诛，不管你跑到哪个角落，我们都会将你绳之以法。

午夜12点，苏州的夜，仿佛才刚刚开始。

汤蒨他们还在巡逻。

在这些外国人眼中，恐怕只有在中国，才敢在深夜穿着超短裙上街。

瑞典人　万马：

跟谁出去玩，一点都没担心，没有问题，很安全，有安全感。

美国人　约翰：

中国非常安全，我已经跟他们（父母）说我不回去了。

更高水平的"平安中国"建设，让这夜色里的人们安心、放心。

2016年全球犯罪与安全指数显示，中国是治安保障最好的国家之一。

五年来，中国八类严重暴力犯罪案件数下降了42.7%。

安全感，已经成为美丽中国的新名片。

在中国，护佑百姓安全，是国家安全观的宗旨。

任何时候危机来临，总有坚强的臂膀让人民依靠。

反恐战线的特警部队；密林深处的禁毒尖兵。

安而不忘危，治而不忘乱。中国全新的国家安全体制，正筑起铜墙铁壁。

永远冲在一线的子弟兵；随时准备出发的央企救援体系；自主研发的高端救援装备……

让百姓心里踏实的，还有这支威武之师、人民军队。

习近平总书记：

同志们好！

（主席好！）

同志们辛苦了！

（为人民服务！）

我坚信，我们的英雄军队有信心、有能力打败一切来犯之敌！我们的英雄军队有信心、有能力维护国家主权、安全、发展利益。

安全感，是每一个普通人都能被善待。

安全感，是背后有一个稳定的国家可以依赖。

安全感，是一个国家给百姓的最好礼物。

教育，关系着每一个家庭的未来。

让13多亿人享有更好更公平的教育，这并不是一项简单的承诺。

金寨县垒峰村，地处大别山腹地，距离县城有100多公里。

十岁的夏桂林，和爷爷奶奶相依为命。

安徽垒峰村　学生　夏桂林：

我的妈妈是圆脸还是？

方脸。

因为我没见过我妈。

因为贫困，夏桂林的妈妈生下她就离开了大山。

懂事的夏桂林，总是这样抢着帮年迈的奶奶做家务。

中国人有"家贫子读书"的传统，摆脱贫困的第一步，就是有文化。

像夏桂林这样的孩子，让他们接受公平、有质量的教育，是不让贫困向下一代传递的根本。

2014年，中国制定了第一个专门面向他们的国家战略——《国家贫困地区儿童发展规划》。

夏桂林在村里的教学点上学了。

这个教学点，一共有21个孩子，他们全都来自像夏桂林家一样的贫困家庭。

在大山里教了38年书的丁保花，既是他们的老师，也是他们的妈妈。

这些乡村教师，中央同样记在心上。2015年中国通过了新中国历史上第一个乡村教师队伍支持计划，像丁保花这样的，

300万乡村教师有了更体面、更有尊严的生活。

安徽垒峰村垒峰教学点　教师　丁保花：

老师要求你们要认真读书写字，教你们要做一个有用的人。

为了让家庭经济困难的孩子都能上学，国家投入了上千亿元。

吃午饭的时间到了，每天的营养午餐，都是免费的。

学生1：

炒得好好吃。

学生2：

我觉得这个，这个好吃。

每人补助4块钱，免费午餐的国家工程，已经惠及全国3600万农村学生。

安徽垒峰村垒峰教学点　教师　丁保花：

2015年的5月1号，我们这个小厨房就做起来了。

夏桂林他们，是大别山未来的希望。

学生1：

我的梦想是当一名赛车手。

学生2：

我的梦想是当一名画家。

学生3：

我的梦想是当一名宇航员。

未来，在向夏桂林他们招手。

国家农村和贫困地区定向招生专项计划，五年来累计招生27.4万人，让更多像夏桂林这样的农村孩子走进了重点大学的校门。

教育兴则国兴，教育强则国强，教育被摆在了优先发展的国家战略位置上。

2016年全面二孩政策落地，未来每年都会有1700万到2000万宝宝出生，把幼儿园学前教育纳入公共教育体系，国家又投入了1300多亿元。

中国的教育经费总投入，已经连续五年占GDP的4%以上。2016年首次超过3万亿，比五年前增长了1.3万亿元。

宁夏幸福村　村民　杨晓梅：

我叫杨晓梅，家里有百十来只羊，三十多亩地。

我就说树是绿的，枸杞是红的，扎的手也疼，挣的钱是明的，光明正大的意思。

幸福村的百姓从来都相信，靠自己的双手能创造出美好的生活。

在今天中国人的眼里，美好的生活不只是物质的丰盈，还有精神文化的丰富。

宁夏幸福村　村民　杨晓梅：

这都是老祖宗留下来的，不能丢失，因为我们这是传承文化。

杨晓梅是宁夏农民画传承人之一。

每天，一边放羊，一边创作。

她想把这蓝天白云画下来，把这农家人的自在画下来。

宁夏幸福村　村民　杨晓梅：

都说农民画，就是身边的事情身边的人，看到啥画啥，随心所欲。

杨晓梅正在创作一幅新作品。

创作已经到了尾声，老师江书荣专程从福建赶来辅导。

宁夏幸福村　村民　杨晓梅：

反映的一个是丰收，就是一个老瓜农。

这幅作品，是为2017年哈萨克斯坦世博会创作的。

把宁夏的农民画和中国的大漆艺术结合在一起，这样的创新，还是头一回。

做漆画的手艺，是杨晓梅一年前和宁夏四位农民画传承人，一起去福建学会的。

宁夏幸福村　村民　杨晓梅：

这一遍的颜色又可能都是不同的，没有关系吧？

福建省艺术馆艺术创作部　主任　江书荣：

基本没问题，不要太复杂，不要每个上面，一会儿黄一点，一会儿绿一点。

优秀的传统文化，是中华民族的根，是中华民族的魂。

作为中国非物质文化遗产，福建传统的漆画一向以颜色素雅著称，但千年不变的色彩，也让这门艺术的传承有了瓶颈。当色彩浓郁热烈的农民画与大漆相遇，江书荣看到了两种传统艺术碰撞出的生机。

福建省艺术馆艺术创作部　主任　江书荣：

今天，农民漆画它走出国门，让世界看到了优秀的中国传统文化，在当代世界多元文化大背景下，是我们对传统文化的一种新的认同和弘扬，也是我们民族自信、文化自信的一种体现。

作品，终于完成了。

这幅题为《丰收时节》的漆画，出现在世博会展台上。

中国文化的传统与创新，向世界传递着喜悦与自信。现在，每年都有3000亿规模的文化产品走出国门。

中国已经有39个项目被列为世界级非物质文化遗产，总数位居世界第一。

让中华文化的精髓，走向更广阔的乡野，古老的文化，正在现代中国人的创造中，变得活色生香。

动漫游戏、微电影，还有萌萌哒博物馆，文化创意正形成繁荣的大市场。

文运与国运相牵，文脉与国脉相连。

2016年中国文化产业年增加值突破3万亿元，比2012年增长了67.4%，占GDP比重首次超过4%。

广播电视村村通向户户通、优质通、长期通升级，人口综合覆盖率超过98%。电视剧年产量近15000集，世界第一。

中国的电影票房火爆，近45000块银幕，超过了整个北美地区的银幕数量总和，世界第一。农村数字电影放映工程，让最基层的百姓也能便捷地看上电影。

覆盖城乡的公共图书馆、文化馆建设和农家书屋等文化惠民工程，正在打造书香中国。

传统文化与时代精神正焕发出新的面貌，将复兴之魂厚植于心。

从文明乘车、文明旅游到多彩的文化墙，从小学生的"开学第一课"，到大学毕业生"留给母校最美的背影"。

最美乡村教师等"最美系列"评选，让寻找最美、成为最美，变成全社会的追求。

一个个英雄楷模的树立，是对国家功勋、人民功勋的敬仰和尊重。

国无德不兴，人无德不立。这是中华民族强基固本的基础，核心价值观的概括，找到了中华民族精神价值追求的最大公约数。

习近平总书记：

人民有信仰，民族才有希望，国家才有力量。

文化小康正在绽放，中国精神正洋溢在每一个中国人的笑脸上。

富春江，桐庐县，因《富春山居图》名满天下的美丽小镇。

养生，让今天的桐庐变成了长寿之乡。

即便是盛夏，古村的老戏台前依然热闹。

王有鲜奶奶，最爱听越剧。

91岁高龄，耳不聋眼不花，还特别喜欢热闹。

和面、烙饼，手脚麻利。

王奶奶每天最开心的事，就是给全家做早饭。

浙江深澳村　村民　王有鲜：

4个女儿，4个儿子，这么多儿女都是我把他们养大，要不怎么叫娘呢。

我烧给他们吃。好吃啦！（我）这个喉咙就是这样大声叫来的。

村里四年前建起了老年食堂，王奶奶自己可以在这儿吃饭，老人们每顿最多只花5块钱。90岁以上的老人，全免费。

桐庐县老年人口比例超过了22%，事实上，整个中国的老龄化都在提速。

让2.2亿老人健康幸福地安度晚年，这是世界上绝无仅有的大工程。

桐庐183个行政村，现在村村都有老年食堂，还有这些小院里的养老服务中心。

居家养老，这是中国正在努力发展的养老模式。

汪亚君，在政府鼓励下开办了这间养老服务中心。五年来，国家累计投入50亿元，10万个农村幸福院、11万个社区居家养老服务中心，就这样建立起来。

浙江塘源村阳光养老服务中心　主任　汪亚君：

对胃口吗？

（对胃口，大家都讲蛮好吃！）

桐庐的健康养老小镇，这两年名气越来越大。

山东济南市　市民　牛衍兴夫妇：

今天（低压）78。

（你是早晨量的吗？）

早晨起来量的，晚上也是这个。

这两天我非常高兴，这里舒服了。

（舒服了，心情就好了。）

对对对。

牛衍兴老两口从山东来，已经在这里调理了一个月。

老两口打算就在这儿养老了。

2017年年底，全国的社保卡就能通用，基本实现异地结算，102项福利一张卡就能办妥。

山东济南市　市民　牛衍兴：

（国家）对老年人现在这不是照顾越来越好，这是深有体会，每年都在涨（退休）工资。

很满意，满意满意，很满意。

作为世界上唯一一个老年人口超过2亿的国家，中国做到了养老金连续12年上调。

浙江深澳村　村民　申屠雅珍：

现在社会好，现在是习主席好，我们大家都要享福了。

王有鲜家的孩子们，周末都回来了。

端起团圆碗，吃上合家饭。

中国人的平均寿命已经提高到76岁，比世界平均水平超出5岁。

这是古老中国，对生命的尊重。

生命奇迹的背后，是一个庞大的保障体系在守护。

中国织就了全世界最大的基本医疗保障网，被世界卫生组织称赞为举世瞩目的成就。

解决"看病难、看病贵"，百姓的迫切期待，被国家揣在心里。

这五年，中国全面推行公立医院综合改革，所有公立医院全部取消药品加成。

实施城乡居民大病保险，覆盖人群超过十亿。

全国205个城市探索"医联体"新模式，大医院的名医出现在社区诊所，西藏、广西、内蒙古、宁夏、新疆等边远地区都有了先进的远程医疗。

"健康中国"战略，作为保障人民健康的行动纲领被提出。中国人已经可以眺望更远的未来。

这个全世界最大的国家基因库，1000万份样本承载着中国人的遗传密码，全世界只有中国、美国、欧盟和日本掌握着保障生命健康的未来资源。

没有全民健康，就没有全民小康。中国人对健康的追求，还在不断催生新事物。

鼓浪屿医院　健康管理员　杨燕：

调整一下，大家好，我的身后就是非常漂亮的厦门鼓浪屿。今天我去鼓浪屿可不是去玩的。

杨燕，刚刚成为鼓浪屿的家庭医生。

这份新工作让她找到了从未有过的幸福感。

把人民身体健康纳入全面小康目标，让全体人民享有更高水平的医疗卫生服务，中国正在铺设一条以人民为中心的健康之路。

72岁的蒋永水，几十年的高血压、糖尿病、心脏病，一直靠药物控制，蔡宝瑞阿姨三年前做过化疗。

老两口最怕的，就是突然发病。

鼓浪屿居民　蔡宝瑞：

如果你到三甲医院要辗转，像我们这个鼓浪屿就是这个不方便，坐车坐船到那边去还要排队，还不知道要怎么样子。

老人的儿子、儿媳都在厦门本岛工作，周末才回岛上。

这份家庭医生协议，蔡阿姨签下不到半年，就两次出现危急情况。

鼓浪屿居民　蔡宝瑞：

元旦前一天，他是尿血，那个是痛不欲生的，小杨我马上就可以联系到，三甲医院她都给我们联系好好的。

杨燕的名片，现在被放在家里最显眼的地方。

百姓对国家的信任和依赖，都在这张小小的名片里。

鼓浪屿居民　蔡宝瑞：

"5+2""白+黑"，全天候呵护您的健康。我经常跟她讲，比自己的女儿真的更亲了。我们心里很踏实，不怕。

中国的家庭医生，不是贵族专属。它是这个拥有13多亿人口的大国，要让人人享有更高等级公共医疗服务的决心和承诺。

中国的目标，是力争到2020年基本实现家庭医生签约服务制度全覆盖，让百姓都有自己的家庭医生。这是写进《"健康中国 2030"规划纲要》的全世界最大的健康工程。

鼓浪屿居民　蔡宝瑞：

享受我们这个天伦之乐，乐和乐和 365 天，我们都是高高兴兴地过，而且现在共产党对我们老年人更关心，像这次习近平主席，对我们这个老年人的问题，你看习主席也关心，真的是，方方面面，我们这是生活在太平盛世里，你不说我们要多活几年，肯定的，是不是。

血压计测量的数据，通过手机，第一时间传到了医疗大数据中心。

用数据为每个人制定精准医疗服务，中国正绘制一份"健康路线图"。

鼓浪屿医院的照片墙上，岛上的居民们，用点赞的方式感谢他们的家庭医生。

贴心、真心，赢得了人心。

一个人的健康，关系一个家庭的命运。

13 多亿人的健康，决定一个国家和民族的前途。

"健康中国"引领，全民健身成为中国风尚。

广场上、健身房里，城市建起了 15 分钟健身圈。

农家院里、田间地头，乡村公共健身设施 100% 全覆盖。

青少年至少熟练掌握一项体育运动技能。

习近平总书记：

寄希望于你们这一代。

（谢谢习爷爷！）

中国13亿人，中国今后要变成一个强国，在各方面都要强，少年强则中国强，体育强则中国强，要强起来。

到2020年，经常锻炼的百姓，全国将达到4.35亿人。

跑步，正成为一种新的生活方式。

突破自我、超越极限。

中国人正奔向健康，拥抱幸福。

治政之道在于安民，安民之道在于察其疾苦。

环顾世界，没有一个国家能像当今中国这样，以一种说到做到、只争朝夕的方式，将百姓的一个个期待，逐个变为现实。

作为世界上城镇化速度最快的国家，中国每年要新增2000万城镇人口，比欧洲一个中等规模国家人口还要多。这是人类历史上规模最大的城镇化进程。

让每个人都享有公平出彩的机会，这是中国奔向全面小康的基本追求。

超过2亿进城务工人员的安家故事，正在这些城市里发生。

晋江，前埔小学，一场足球赛正在进行。

罗楹莹是场上的主力。

不远处，爸爸罗树生在为女儿加油。

没费什么劲，女儿就读上了镇上最好的公立小学。

福建晋工机械有限公司　职工　罗树生：

一家人在一起，让小孩不会成为留守儿童，这样我也很放心。公司出一个劳动合同就可以了，读书也方便。

留守儿童，是压在百姓心头最沉重的难题之一。建成全面小康社会最后的冲刺阶段，要啃的就是这些"硬骨头"。

将常住人口纳入城镇发展规划，将随迁子女教育纳入财政保障范围，中国的这项改革，已经让超过90%的像罗楹莹这样的随迁子女，享受到义务教育保障。

这五年全面小康冲刺，每家每户都能感受到各种细微的变化。罗树生一家人也不例外。

福建晋工机械有限公司　职工　罗树生：

这个不能漏掉，要检查，上面几个调一下。

作为生产主管，罗树生已经开始带徒弟了。

这间工厂每年都要吸纳近百名新员工，其中60%都是外省来的。

让他们稳定就业，在城市扎根，就是为中国经济注入源源不竭的新动能。

这五年，中国城镇新增就业每年都超过1300万人。在全球失业率居高难下的今天，这是了不起的成就。

福建晋工机械有限公司　职工　罗树生：

觉得这边有奔头，所以说一直在这边做着。

在晋江，工作一年就能落户，享受30多项市民待遇。

罗树生已经连续三年评上了公司的优秀员工。再有两年，他申请人才房就能加分。

福建晋工机械有限公司　职工　罗树生：

国家有这个政策，（晋江）人才房就是补助一半，我也希望通过自己的努力，也有出彩的机会。

买个大一点的房子，现在是全家人最大的期盼。

两个孩子大了，单位分配的宿舍不够住。

罗树生的父亲还一个人留在乡下，一家人盼着能早点团聚。

罗榲莹爱画画，画里的全家福，是她梦想的生活。

罗树生的女儿　罗榲莹：

我想有一个自己的家，弟弟、爷爷、奶奶还有我，还有爸爸妈妈都住在里面。

端午节，罗树生把父亲接到了晋江。全家一起去看市中心的人才楼。

罗树生的朋友陈美琴，刚刚申请到第一批人才楼的大房子。这是为优秀外来人才建设的人才楼，凭积分申请。

积分落户，是不少城市最近五年才有的创新举措。在考虑城市资源承载力的同时，开辟一条公开透明的落户通道。只要有积分，就能享受不同程度的社会保障，甚至高达几十万元的住房补贴。

以人为核心的新型城镇化，正在中国全速推进。

平等享受教育、就业、医疗、养老、保障性住房，罗树生一家的期盼更近了。

这，是一家人最快乐的一个端午节。

治国有常，而利民为本。

中国的发展成果，一定要让 13 多亿人民共享。这份念念不忘的初心，注入一个个民生工程，将百姓的关心变成安心和放心。

五年来，全国居民人均收入增长了44.3%。

全国义务教育巩固率达到93.4%，在全球九个发展中人口大国中，率先实现了全民教育目标。

全国城镇保障性安居工程基本建成2879万套。13多亿中国人的人均住房建筑面积达到40.8平方米。

新食品安全法实施，最严格的监管制度守护着百姓舌尖上的安全。

31个省份出台户籍制度改革实施方案，存在了半个多世纪的二元户籍制度退出历史舞台。

意莫高于爱民，行莫厚于乐民。

想民之所想，急民之所急，办民之所需，干民之所盼。

习近平总书记：

人民对美好生活的向往，就是我们的奋斗目标！

让每个人共享国家发展的红利，让每个人同享梦想成真的机会。

同祖国，和时代一起，迈进全面小康社会。

成就数据：

粮食产量突破6亿吨，世界第一。

九年义务教育巩固率93.4%，超过高收入国家平均水准。

中国人均寿命76岁，超世界平均水平5岁。

基本医疗保险参保超 13 亿人。

基本养老保险参保 8.88 亿人。

中国就业人数达 7.7 亿人。

第六集 开放中国

第六集《开放中国》完整视频

海纳百川，有容乃大。

实践证明，开放是国家繁荣发展的必由之路。面对世界经济格局的深刻调整，中国的态度是响亮的。

习近平总书记：

中国的大门对世界始终是打开的，不会关上。开着门，世界能够进入中国，中国也才能走向世界。

这五年，创建自贸区，倡导"一带一路"，成立亚投行，建设开放型经济新体制，全方位对外开放新格局加快形成。

北京APEC，杭州G20，达沃斯论坛，金砖厦门会晤，更多中国理念、中国方案得到世界广泛认同。

走近世界舞台中心的东方大国，已经成为拉动全球经济增长的第一引擎，成为全球经济治理的重要力量，成为国人获得自豪、赢得尊重的坚强靠山。

中国，在开放的道路上走得更加自信！坚定！从容！

沿怒江而上，大山深处怒族人居住的老姆登村，即将迎来一件大事。

云南怒江老姆登村　村民　郁伍林：

告诉大家一个很惊喜的消息，过两天一批国外朋友要来我们家做客。

郁伍林，经营着老姆登村最大的客栈，村里只要一有喜事，他都要发到朋友圈。

说惊喜，一点都不夸张，因为这是老姆登村第一次有外国贵客到访。

要知道即便是从昆明来这里，也得开上一天的车。如果不是通了公路，外面人很难进来。

米兰达他们，是乌拉圭执政党的领导人。

这趟中国之行，是专程来取经的。

2020年中国要实现全面小康，这个人均收入5年增长了3倍的村庄，正是中国最典型的样本之一。

乌拉圭344万人口，还有约25万等待脱贫。

跨越半个地球，深入大山腹地，令米兰达他们着迷的是中国的扶贫方式。

借助发展生态茶园、民宿旅游等特色产业实现精准扶贫的做法，让米兰达很感兴趣、很受启发。

乌拉圭广泛阵线　主席　哈维尔·米兰达：

和当地百姓交流时，你会发现他们对自身脱贫有高度的责任感和参与感，我想这是最大的进步。

村民们的房子，都是这几年新盖的，大家住上了水泥钢筋屋，用上了电。

村民九者东告诉米兰达，这个中国办法，叫"整乡推进"。

云南怒江托拖新村　村民　九者东：

以前茅草房，不舒服，现在风吹下雨都是舒舒服服，（新房）是政府帮助盖的。

用土豆和鸡蛋招待远道而来的客人，在热情的中国人面前，语言不是障碍。

在这个小山村，米兰达真切地感受到了百姓脱贫以后的幸福和对未来美好生活的向往。

消除贫困，是世界性难题。这些年，全世界每脱贫10个人，就有7个是中国人，这样的减贫奇迹在人类历史上前所未有，背后创造的扶贫模式也是了不起的"中国创造"。

回到北京的米兰达，分享着他们在怒江的见闻和思考。

乌拉圭广泛阵线　主席　哈维尔·米兰达：

在怒江地区，我们直接看到了中国政府在脱贫政策方面的具体经验。

在场的近400人，主要是驻华高级外交官和国际组织驻华代表。

类似这样的中国经验分享，每次都是听者云集。

埃塞俄比亚　驻华大使　塞尤姆·梅斯芬：

中国说的全球化是指不让一个人掉队，不让任何一个人被落在贫困当中，无论是在非洲、在亚洲、在欧洲、在美洲以及其他地区。

突尼斯　驻华大使　迪亚·哈立德：

习近平主席和中国政府提出的理念非常重要，这些理念和倡议将帮助中国在2020年全面建成小康社会，我坚信中国会取得成功。

欢迎各国搭乘中国发展的"顺风车"，好的理念同样也要与世界分享。

中国敞开怀抱拥抱世界的开放姿态，也正收获来自国际社会的广泛共识。

青岛，中国北方海上贸易的重要门户。

码头上，今天来了一位特殊的客人。

澳大利亚人罗伯特·米林纳，他的身份是G20工商峰会特别顾问。

G20工商峰会　特别顾问　罗伯特·米林纳：

这个码头建得很快，它将会更高效、更节约成本。

中国基础设施建设的惊人速度，吸引着他。

特别是青岛港刚刚建成的这个亚洲第一个全自动化集装箱码头。

无人驾驶运输车，正按照程序设定，24小时不间断工作。

青岛前湾集装箱码头　综合部主管　张鹏：

这是AGV（自动引导车）的电池，我们不用单独拿出时间充电，而是在作业中进行充电。

G20工商峰会　特别顾问　罗伯特·米林纳：

非常智能。

青岛前湾集装箱码头　综合部主管　张鹏：

这是世界上独一无二的。

创新增长方式，提升互联互通效率，这些都是 G20 杭州峰会的重要议题和主张。

让二十国集团成为行动队，中国正用实际行动践行着自己的主张。

北京的一场沙龙上，罗伯特和中外工商界朋友分享着中国主张的影响力。

G20 杭州峰会提出的大量主张，依然是 2017 年 G20 汉堡峰会上的主要议题。

G20 工商峰会　特别顾问　罗伯特·米林纳：

德国 G20 汉堡峰会十分重视的议题包括数字经济、能源可持续等，这些都是中国的主张。

中国主张得到世界的认同。这个全球第二大经济体提出的，构建以合作共赢为核心的新型国际关系，让罗伯特感到振奋。

G20 工商峰会　特别顾问　罗伯特·米林纳：

我很有幸在过去两年看到习主席的四次演讲，今年一月他在达沃斯有一个特别出色的演讲。"只要我们牢固树立人类命运共同体意识，携手努力、共同担当，同舟共济、共渡难关，就一定能够让世界更美好、让人民更幸福。"

G20 工商峰会　特别顾问　罗伯特·米林纳：

这个用中文怎么说？

中国国际商会　合作发展部副部长　孙晓：

人类命运共同体。

G20工商峰会　特别顾问　罗伯特·米林纳：

人类命运共同体。

开放，共赢。

中国从未像今天这样，自信、从容地走近世界舞台的中心。

推动区域经济一体化，中国提出可行的建议。

习近平总书记：

推进互联互通的联接平台，亚太经合组织的发展壮大有赖于大家共同支持。

应对全球气候变化，中国作出积极的承诺。

习近平总书记：

中国一直是全球应对气候变化事业的积极参与者。

推动全球治理体系变革，中国提出智慧的方案。

习近平总书记：

为世界经济开出一剂标本兼治、综合施策的药方。

直面"逆全球化"思潮，中国发出响亮的声音。

习近平总书记：

中国将大力建设共同发展的对外开放格局。

习近平总书记：

我们应该推动建设开放型世界经济，使之惠及各国人民。

中国在构建人类命运共同体的愿景中，贡献着一个又一个共享共赢的解决方案。

习近平总书记：

"桃李不言，下自成蹊"。推进"一带一路"建设，要聚焦发展这个根本性问题，释放各国发展潜力，实现经济大融合、发展大联动、成果大共享。

世界也从未像今天这样，渴望走近中国，倾听中国。

广西东兴市与越南就隔着一条北仑河。

越南人在这里做生意，现在大部分用人民币结算。这里是继浙江义乌之后，又一个个人跨境人民币结算试点。

人民币国际化，正迈过一个个新的里程碑。

2016年，国际货币基金组织将人民币纳入特别提款权货币篮子，人民币成为五种主要的国际货币之一。

2017年，欧洲央行增加等值5亿欧元的人民币外汇储备。

2018年，中国A股将正式进入MSCI新兴市场指数。

全球第一个由中国倡议建立的多边金融机构亚洲基础设施投资银行，已经有80个成员国。

没有中国参与的国际贸易和金融体系是不完整的。

四年来，中国对世界经济增长的平均贡献率达到了30%以上，超过美国、欧元区和日本贡献率的总和，位居全球第一。曲折复苏的世界经济当中，中国是名副其实的增长动力之源、稳定之锚。

中国的对外开放，是不动摇的基本国策。

不封闭、不僵化，打开大门搞建设、办事业，中国的开放理念这五年不断升级。

而这，正是吸引众多外国年轻人，来到这个东方国度的原因。

摄影师：

预备，开始！

北京大学　留学生　高佑思：

大家好！我现在在北京大学读书，我们专门每周在五道口，采访来自各国的外国人，关于他们怎么看中国。

外国人1：

我坐过几次动车，有时候比乘飞机还快。

外国人2：

中国楼建得特别快。

外国人3：

中国真的是发展得很好。

高佑思，喜欢拍摄外国人眼中的中国，人称"以色列小哥"。

视频火了，现在做短视频是他的创业项目。

北京大学　留学生　高佑思：

中国人都是在推这个创业创新，所以我决定创业。

中关村，中国的创业地标。

在这里开创事业的，还有小高的爸爸，老高。

老高开着一家投资公司，他还是小高的投资人。

凭借以色列人敏锐的商业嗅觉，十几年前，老高就认准中国将是未来发展最快的国家。

以色列英飞尼迪集团　董事长　高哲铭：

我们来到中国，非常幸运拿到第一张（外资）风险投资的营业执照，00001号，所以我们是第一家允许从事人民币业务的外资基金。

在第一张营业执照之后，我们又开设了这些基金。每一张都在不同的城市，这就像从一个成功的故事开始，可以慢慢做大。

老高，已经投资了100多家中国公司。

对中国日益完善的投资和创业环境，他现在越来越有信心。

这五年，是中国营造稳定、公平、透明的投资环境力度最大的五年。

仅2016年在中国新设立的外商投资企业就有27900家。

这里是高佑思的家，五年前，正是基于对中国发展前景的信心，老高把几个孩子都接到北京上学，在这里安了家。

这是全家欢聚的日子，小高的奶奶、姥姥和姥爷专程从以色列飞到北京来。现在探亲，不是小高他们回以色列，而是老人们来到中国。

高佑思的奶奶　莉伊：

我的两个儿子在中国很有活力，在我心里，中国离我很近。

北京大学　留学生　高佑思：

我奶奶问我，你到底在中国一个月能赚多少钱，我就说我一定比我爸在中国发展得好，因为中国的机会越来越多。

文化相亲，生活相亲。

中国，是他们的第二故乡。

北京大学　留学生　高佑思：

我期待我的创业项目能做得越来越好，因为习近平主席说，年轻人应该有中国梦，我的中国梦就是希望能够在中国长期发展。

开放，包容，正让中国成为最热门的投资热土。

自由贸易试验区，标志着中国对外开放迈入新的历史阶段。

上海自贸区成为先行者，负面清单制度向世界发出明确信号，只要不在清单上的领域，都可以涉足。

对全球投资者来说，这是黄金般的"定心丸"，而对中国来说，这是一场深刻的变革。由自贸区开始，中国的市场准入全面采用负面清单制度。以开放倒逼中国行政管理体制变革，将对内对外相统一。不一样的治国理念，彰显着中国自信。

11个自贸区，勾画出中国升级版的开放版图。

上海、广东、福建、天津、浙江、辽宁自贸区，串起了中国沿海开放的新窗口。

河南、湖北、重庆、四川、陕西自贸区，塑造着内陆开放的新高地。

这里，是中国与世界携手共进的商业沃土，这里，更是中国改革开放的试验田。

既要引进来，也要走出去。双向开放，是完善对外开放战略布局的重要举措。中国经济要发展，就要敢于到世界市场的汪洋大海中去游泳。

每次来纽约，杨元庆都会自己开车。

联想 2005 年收购 IBM 个人电脑业务，迈出了中国企业在全球配置资源的重要一步。

现在，联想每年都要举办创新科技大会，汇聚全球伙伴，分享最先进的技术和理念。

联想集团　董事长兼首席执行官　杨元庆：

你们就是和我们一起发起这次变革的人。

现场 600 多位来宾，微软、英特尔，都是全球知名的科技公司。

联想这次分享的超级计算机技术，是当前各国科技竞赛最热门的领域之一，在这个领域，中国已经是全球第一。

英特尔全球数据中心　销售副总裁　夏乐蓓：

联想非常迅速地从一家中国企业变为世界舞台上的领导者。

能与联想携手开发下一代超级计算机应用，大家都很有兴趣。

联想集团　董事长兼首席执行官　杨元庆：

中国的企业，应该积极地拥抱国际化，因为我们不但可以成为一个受益者，而且可以做一个贡献者。

这个被誉为"全球最漂亮的数据中心"，使用的是联想提供的超算系统，它比上一代服务器系统的运算能力强大了 12 倍。

而这里，则是联想全球研发中心，来自世界各国的工程师正在研发下一代超级计算机的核心技术。

但这，都只是中国企业在海外的一个缩影。

中国登上世界500强榜单的企业,五年来从79家增加到115家。

中国对外直接投资首次跃居世界第二位。从资本输入到资本输出,从世界工厂变成世界市场。一桩桩海外并购,折射出中国经济的实力飞跃。

在最先进领域与世界携手并进,3万家中国企业几乎遍布全球。

尽管世界经济贸易增长乏力,但中国贸易双向投资却逆势上涨。

2016年中国非金融类对外投资11300亿元人民币,实际使用外资8132亿元人民币。这是中国利用国际国内两个市场、两种资源的能力不断提升的最好诠释。

开放,是你中有我、我中有你。

买全球卖全球,中国正在创造世界贸易"新玩法"。

中国"海淘"用户2016年增长了78.3%。

与此同时,中国的商品,也卖到了全世界。

裴友,来自西班牙。

阿里巴巴全球贸易平台上的一名"洋小二"。

阿里巴巴速卖通买家运营部　员工　裴友:

你好,我叫裴友,我是负责速卖通西班牙的买家运营。我们现在非常开心,因为我们马上会到一亿用户的目标。

全部员工:

破亿啦!速卖通有一亿个用户!

2016年，全球有超过6000万买家通过这个平台购买中国商品。

裴友的家乡西班牙，就是订单量最大的市场之一。

阿里巴巴速卖通买家运营部　员工　裴友：

你好啊，好久没见了。

西班牙　消费者　埃托：

你能来我真高兴。

埃托，裴友的朋友中，最爱网购的一个。

除了招待客人用的传统西班牙火腿，埃托的生活里，到处都是"中国制造"。隔三岔五就要下单买中国货。

仅仅在三四年前，西班牙人还不怎么爱在网上买东西。但现在，大不一样了。

西班牙　消费者　埃托：

这是给我女朋友买的小米充电宝，充电很快。

西班牙人爱上了"海淘"，尤其是中国货，质量好、时髦、价格还不贵。

又一个快递包裹到了，还是来自中国。

这是埃托头一天下单买的平板电脑。

隔天就能收到快递，惊人的速度来自这里。

阿里巴巴速卖通买家运营部　员工　裴友：

这个仓库有18000平方米，原来没有那么大，原来是4000平方米。

全球十大电商公司，有四家是中国企业。

除了中国商品，这些中国企业先进的仓储、物流模式，也是世界各国愿意引进与合作的。

马德里仓库还在调试，很多商品，都是中国卖家提前出口，保存在这里的。

西班牙的国际快运效率已经大大提升，消费者收到中国包裹的时间，两年前还要 26 天，但现在最快只要 5 个小时。

中国和欧洲之间的贸易加速融通，背后更得益于这些高效的跨国物流大通道。

互联互通的交通设施，让沿线各国相互联系、相互依存的程度空前加深。

成都，美食之都。

热辣辣的火锅，吸引着世界各地的游客。

一趟中欧班列，刚刚返回，从欧洲进口的肉产品抵达成都。

新建的这个冷链中心仓，能辐射整个西南地区。

舒长国，是这批货的老板，这 26.2 吨猪肉，是他从荷兰进口的，这已经是他第二次通过中欧班列进口肉产品了。

成都每年要进口冷冻肉 200 万吨，其中 30% 来自欧洲。

以往海铁联运，进口肉得三个月才能到达消费者手中，现在，中欧班列把时间缩短到 20 天。

成都　食品商　舒长国：

这个是荷兰的高品质猪肉，运输也便捷，价格也有优势。

汽车、红酒、奶粉、零食，越来越多的欧洲商品，坐着火车来了。

一些中国特色产业，也在欧洲大陆找到了意想不到的商机。

花木种植，成都温江的传统产业。

像这种藤条编织的工艺品，以前大多只能做城市景观，但最近一年却成了出口欧洲的抢手货。

这批货是荷兰客商不久前预定的。中欧班列完全可以确保这些紫薇藤抵达欧洲时青翠如初。

成都　花木商　段涛：

我们在欧洲的客人，他对这个非常感兴趣，现在不断地在加大订单量。

中欧班列，全球货运里程最长的列车。它构筑的欧亚大陆贸易大动脉，还在延伸。

新闻联播：

国家主席习近平来到杜伊斯堡港，三声锣响后，一列从中国重庆始发的列车满载着货物，缓缓驶入。

2013年秋，中国提出了"一带一路"倡议，在沿线国家共同努力下，中欧经济的联系更加紧密。

中欧班列，实现了自铁路诞生以来，第一次如此高密度地在亚欧大陆横贯穿行。往来运送货物已达到43万标箱。

这是中国的智慧，中国的贡献。

5000多次出发，52条中欧班列线，中国32个城市，与欧洲12个国家的32个城市，从此紧紧相连，汇聚成全新的国际贸易大通道。

作为迄今为止世界上人口规模最大的互利共赢命运共同体，

"一带一路"东牵亚太经济圈,西接欧洲经济圈,穿越非洲,环链欧亚,已经有100多个国家和国际组织积极响应,40多个国家和国际组织同中国签署合作协议。这是全世界跨度最长、最具潜力的合作带。

惠及世界的开放版图上,正传递着中国温度。

东非大草原,蕴藏着丰饶的物产。

每年有超过2400万吨的物资要从这里运出。

这里是整个东非的交通咽喉,但使用的还是100年前英国人建造的轨道只有一米宽的米轨铁路,时速不到30公里。

不远处,一条新铁路刚刚建成,这是中国人建造的。

这是肯尼亚一百年来最大的民生工程,肯尼亚百姓心中的"世纪铁路"。

内罗毕车站,一辆列车即将出发。

2016年年底,伊丽莎白开始学习火车驾驶,她是肯尼亚第一批女火车司机。

中国老师来了,这将是她们第一次独立执行任务。

肯尼亚蒙内铁路　司机　伊丽莎白:

你好,老师。

肯尼亚蒙内铁路　中方司机　衡磊:

你好,伊丽莎白,今天你是独立驾驶,一定要驾驶好,我相信你。

肯尼亚蒙内铁路　司机　伊丽莎白:

好的。

蒙内铁路，连接着肯尼亚首都内罗毕和东非第一大港蒙巴萨，全长约480公里。

二等座车厢里，马赛人耶利米书村长，特意带着全村人来坐火车。

列车速度比以前快了4倍左右，但票价却比当地长途汽车票价还便宜一半，折合人民币不到50元。

乘客　露西：

原来的火车又慢又颠，你总得不停查看时间，这个火车非常平稳，你可以坐下来好好睡一觉。

肯尼亚乘客们：

我们爱火车、我们爱肯尼亚、我们爱中国！

我们爱中国！

蒙内铁路只是东非铁路网的起始段，还有2000多公里的铁路，在等着中国工程师的到来。

独行快、众行远，花开满路，人民受益。

吉隆坡，美国人设计的双子塔不远处，一座新的标志塔，正在中国工程师手中完成。

这里是目前中国在海外建设的世界最高楼，建成后总高452.37米，它将刷新马来西亚的城市天际线。

现在，平均每三天就建起一层。

能学到世界上最先进的建筑技术，是在这个项目工作的2000多名外籍员工最开心的事情。

来自孟加拉的法海特，来工地前靠卖菜和打零工度日，对建筑完全是门外汉。现在，他已经是工地上技术最熟练的工人。

邓啸，法海特的中国师傅，手把手教会了他检修发电机。

学会了这些技能，即便工程结束，他也不用担心失业。

马来西亚吉隆坡标志塔项目　工人　法海特：

这里的人工作很有效率，我想继续跟着中国师傅，走遍"一带一路"。

翻开"一带一路"的工程图谱，每一个都是这样共商、共建、共享。

设施联通，民心相通。出入相友，守望相助。

沿着这条路，人们能够触摸到灿烂辉煌的历史，两千多年的薪火相传，沿途国家在这条道路的传承与变革中，正获得新的滋养、新的机遇。

工业园，这种能快速聚集起生产要素、发展特色产业、拉动就业的中国经验，正让这里活力迸发。

东方工业园，中国民营企业在"非洲屋脊"建起的第一个工业园。

华坚鞋厂，每周一次的员工早会。

华坚埃塞俄比亚工厂　第一车间主管　广州：

团结就是力量，预备，唱！

这4000多个年轻人，80%来自埃塞俄比亚各地农村，大多没有读过高中。

用歌声消除文化隔阂，是董事长张华荣想出来的办法。

在他眼里，这些员工还是孩子，二十出头的年纪正是读书、学本事的时候。

华坚集团　董事长　张华荣：

他们喜欢我，其实对中国这种包容分享的发展理念和经济发展的模式，在他们心里有深深的认同感。

这几位小伙子，都到中国学习过技术和管理。

张华荣给他们起了中文名字，分别是上海、广州、发展、富强，小伙子们都很喜欢这些名字，他们也希望自己的家乡能像中国的大都市一样发展富强。

华坚埃塞俄比亚工厂　第一车间主管　广州：

他很喜欢我们，我们也很喜欢他，我可以这样说，他就是我们第二个爸爸。

华坚埃塞俄比亚工厂　第一车间主管　广州：

快点、快点，跑步！

广州，刚满25岁，就已经是第一车间的负责人了。

短短两年，埃塞俄比亚员工的制鞋技术已经达到全球中等水平。

中国企业带来的新技术，使埃塞俄比亚有了完整的皮革产业链。

厂里9条现代化生产线都和国内的生产线一模一样。能在这样的工厂工作，广州觉得很幸福。

在华坚，像广州这样的管理人员每月薪水相当于5000元人民币，即便是普通员工，收入也是当地平均工资的两倍。

华坚埃塞俄比亚工厂　第一车间主管　广州：

我现在管差不多1400多个埃塞干部员工,所以我现在说实话非常开心,很开心。

新的工业园正在扩建,这里将解决当地5万人的就业。

像这样的工业园和经贸合作区,中国在"一带一路"沿线20多个国家,已经建设了56个,五年来创造了就业岗位18万个。

兼容并蓄、交流互鉴。

既要让自己过得好,也要让别人过得好,这是中国对外开放的追求。

北京未名湖畔,来自埃塞俄比亚的德斯塔,也在努力学习着中国的发展经验。

包括德斯塔在内,南南学院里这48名学员来自27个国家,全是政府的中高级官员和社团领袖。

他们希望,通过学习中国的发展经验,找到适合本国的发展路径。

埃塞俄比亚总理办公室公共参与和动员部　副部长　德斯塔：

我读了《习近平谈治国理政》这本书,他去看望民众和小孩,他非常了解民众的想法。这本书中讲到,作为一个领导者,了解他的民众是非常重要的。

德斯塔正准备把他刚刚看过的这本书,推荐给朋友们。

北京大学南南合作与发展学院　院长　林毅夫：

我想恭喜(南南学院)第一期学员毕业。

作为南南学院第一批学员，这一年，他们看到了中国的过去和现在，更看清了自己的未来。

国之交在于民相亲，唯以心相交，方成其久远。

政策沟通、设施联通、贸易畅通、资金融通、民心相通。这是一条合作之路，更是连接中国梦和亚洲梦、欧洲梦、非洲梦的纽带，是沿线国家人民对美好生活共同追求的圆梦之路。

这是一个自信而强大的时代。

投资、居住、旅行，全世界都在欢迎中国。

中国出境游人次近两年每年都超过1.2亿，位居世界第一。

65个国家和地区对中国开放了免签和落地签，手持一本中国护照，来一场说走就走的旅行，成为一种时尚。

而中国护照的含金量，不仅在于能带你去多少个国家，更重要的是，不管你在什么地方，遇到什么情况，它都能带你安全回家。

2017年盛夏，一部叫《战狼Ⅱ》的电影不断刷新票房纪录。

让这部电影燃爆的，不仅是扣人心弦的情节，更是中国人的爱国激情。

张作合和他的同事，有着和普通观众不一样的感受，电影里的非洲战乱，他们亲身经历过。

中建利比亚分公司　总经理　张作合：

机关和两个公司同时遭到抢劫。

中建利比亚分公司　团委书记　曾波：

当时打仗，子弹都穿过我们办公楼玻璃。

作为亲历者，电影结尾挥动五星红旗通过战区的一幕，就曾真实地发生在张作合他们身上。

最让张作合难忘的，是战乱第三天，祖国的军舰就来了。

中建利比亚分公司　总经理　张作合：

看着船慢慢靠近，开始喊话：中国同胞们，我们是中国人民解放军海军，中央军委下令让我们保护你们回家。大家都在那喊，祖国万岁，那觉得心里很踏实，感觉中国很伟大。

有一种速度，叫中国救援。

有一种感动，叫祖国带我回家。

2015年也门战乱，中国海军调派军舰赴亚丁港执行撤离任务，从生命攸关到安全登舰，571名中国公民的撤离只用了2天。

也门撤侨还不到一个月，尼泊尔8.1级地震发生，中国飞机第一个到达尼泊尔，上千名中国公民脱离险境回到祖国。反复上演的"中国式撤侨"再一次让百姓心头一热。

2016年，新西兰发生强震并引发海啸。

包括中国游客在内的上千名游客被困。

中国领事馆包下所有能够租用的直升机，40个小时后，125名中国游客全部安全撤离。如此高效的救援方式，让国人自豪、世界赞叹。

有一种骄傲叫：我是中国人！

有一种幸运叫：我是中国人！

有一种安全感叫：我是中国人！

生活富裕、经济富足、国家富强。今天，生活在世界任何一个地方，中国人都能感受到祖国的强大和希望。

华侨　李福全：

我是1984年到汉堡，到现在已经是33年时间了。过去哪儿有中国码头，就是因为中国货特别多，一个月来好几个船。像今天这么大吨位的船，别的国家都很少。所以我们在当地的华侨，为祖国的富强感到非常自豪。

这是加拿大多伦多的一场快闪活动。

一首《歌唱祖国》，不仅感染了现场的华人华侨，更感染着很多外国人。

华侨1：

看着祖国越来越强盛了，感到非常自豪。

华侨2：

说真的，我们中国人现在不管走到哪都越来越自信了。

群体1：

辉煌中国　你我共筑！

群体2：

祖国我为你自豪！

群体3：

祝福祖国越来越好！

今日中国，前所未有地走近世界舞台的中心，前所未有地接近实现中华民族伟大复兴的梦想。

站在新的历史起点，向着这一伟大梦想，踏上建设社会主义现代化国家新征程的动员令已经发出，中华民族必将以更加昂扬的姿态屹立于世界民族之林！

习近平总书记：

历史是勇敢者创造的，让我们拿出信心，采取行动，携手向着未来前进！

浩渺行无极，扬帆但信风。

自信，祝福。

为这个国家，为这个时代，骄傲、自豪！

本片由中共中央宣传部、中央电视台联合制作。

本书视频索引

第一集《圆梦工程》完整视频 001

第二集《创新活力》完整视频 025

第三集《协调发展》完整视频 049

第四集《绿色家园》完整视频 075

第五集《共享小康》完整视频 101

第六集《开放中国》完整视频 127